U0665669

刘心武

我眼中的建筑与环境

中国建筑工业出版社

▲《我眼中的建筑与环境》封面（1998 年）

▲ 大老叼（刘心武的水彩画）

▲ 青岛五·四广场（2010 年）

刘心武文存17

[1958—2010]

建筑评论 第一卷

我眼中的
建筑与环境

刘心武◎著

江苏人民出版社

图书在版编目（CIP）数据

我眼中的建筑与环境／刘心武著．—南京：江苏
人民出版社，2012.11

（刘心武文存；17.建筑评论．第1卷）
ISBN 978-7-214-08293-0

Ⅰ．①我… Ⅱ．①刘… Ⅲ．①散文集－中国－当代
Ⅳ．① I267

中国版本图书馆 CIP 数据核字（2012）第 111016 号

书　　　名	我眼中的建筑与环境	
著　　　者	刘心武	
责 任 编 辑	刘　焱	
统 筹 编 辑	李　丹	
特 约 编 辑	朱　鸿	
文 字 校 对	陈晓丹　郭慧红	
装 帧 设 计	门乃婷工作室	
出 版 发 行	凤凰出版传媒股份有限公司	
	江苏人民出版社	
出版社地址	南京湖南路1号A楼　邮编：210009	
出版社网址	http://www.book-wind.com	
经　　　销	凤凰出版传媒股份有限公司	
印　　　刷	三河市金元印装有限公司	
开　　　本	700毫米×1000毫米　1/16	
印　　　张	15.5	
字　　　数	196千字	
彩　　　插	4	
版　　　次	2012年11月第1版　2012年11月第1次印刷	
标 准 书 号	ISBN 978-7-214-08293-0	
定　　　价	32.00元	

（江苏人民出版社图书凡印装错误可向本社调换）

《刘心武文存》出版说明

　　《刘心武文存》收录刘心武自 1958 年 16 岁至 2010 年 68 岁公开发表的文字约 900 万字。《文存》共 40 卷，按文章门类收录，计有长篇小说 5 卷、中篇小说 4 卷、短篇小说 5 卷、小小说 1 卷、儿童文学 1 卷、建筑评论 2 卷、《红楼梦》研究 4 卷、散文随笔 11 卷、杂文 1 卷、海外游记 1 卷、多品种（图文交融文本、报告文学、诗歌、剧本、足球评论、译述）1 卷、创作谈 1 卷、理论批评 1 卷、早期（1958 年至 1976 年）作品 1 卷、自述 1 卷。因跨越时间达半个世纪以上，收录定有遗漏，但其此期间的主要作品，相信均已收入。

　　《刘心武文存》各卷均附有《刘心武文学活动大事记》及《刘心武著作书目》，可备检索。

　　编辑出版《刘心武文存》的目的，意在供各方面人士阅读欣赏、分析研究、批评批判、收藏保存。

刘心武文存
17

目录

第一卷　通读长安街

刘心武文存

17

第一卷

通读长安街

国贸中心

位于东长安街与东三环交界处大北窑的中国国际贸易中心，是一组以浅褐色为基调，并大量使用玻璃幕墙的宏伟建筑。这组建筑的主体是由展览中心、商用办公楼和中国大饭店三部分构成的。欣赏这组建筑，应着重于玩味设计者所布置的三个巨大的弧面。横向发展的展览中心的顶部是一个朝天的凹弧面，这样，也就使这一部分的建筑立面有一种展翅凌空的动势；竖向高耸的商用办公楼，则令朝向展览中心的楼面转角呈柔润的弧面，体现出一种亲切的呼应；而深入于里面的中国大饭店，则又以微凹的光洁立面，仿佛展现出一个温馨的笑靥；这三个弧面，把这一组建筑的"精、气、神"提了起来，使得其整体上具有了一种交响乐的韵律与气派。

国贸中心所使用的建筑语言，基本上是西方现代派的那一套，谈不到吸收了多少中国古典建筑的传统语言，然而自从 90 年代启用以来，中国民众大都接受了它；我想这一方面说明越来越多的当代中国人已基本具有了吸纳西方文化精华的能力，同时也意味着，只要因地制宜、"文通字顺"地使用外来建筑语言，也能为中国的大地增添悦目的"凝固诗篇"。

国贸中心主体建筑立面所选择的浅褐色，我以为凝重而不沉重、雅致而不俗艳，也是别具一格，令人望之心旷神怡的。现在北京有的大型建筑使用玻璃幕墙作装饰时，常选用浅绿色与宝蓝色，这两种颜色当然不是不可选用，然而这是两种"险色"，倘若与建筑物其他部分的颜色没有精心的配伍考虑，则容易"扎眼"，乃至显得造作、俗气，顺便提出这一看法，仅供设计师们参考。

京伦饭店

有朋友跟我说，他觉得位于建外大街的京伦饭店气派不够大，我接过他的话茬儿说，美感往往产生于"适度"，京伦饭店以投资规模和功能性考虑而言，它现在这样的面貌，应当说是得体的。

俗话说，"量体裁衣"，"可着脑袋做帽子"，"守着多大的碗，吃多大的饭"；一座建筑物的设计，也应本着这些个原则；该大则大，该小则小；大有大的衣衫，小有小的装扮；应当忌讳的是将大做小，以及将小装大。我们在京城里可以看到这样的建筑：它的体量很大，功能性也是"肩负重任"的，却设计得轮廓线暧昧不清，立面视觉效果杂驳琐碎，仿佛是一位丈八巨人，身上却箍着一套米老鼠的童装，令人望去啼笑皆非；也有很低矮，并且用途也很平庸的建筑，却偏给戴上庞大的"皇冠"，蹬上厚重的"墙靴"，如同硬把一位弱女子，给塞到了阔大的龙袍中，望去实在颠顸刺眼。当然，也有成功的例子，比如金鱼胡同里的王府饭店，该气派就爽性"派头十足"，金碧辉煌得可以；而位于德胜门外马甸桥北的独一居饭庄，自知其小，周遭又是乡野，便干脆走"蓬牖茅椽"的路子，倒也别具一格。

京伦饭店的投资规模"比上不足，比下有余"，所以既不强装"财大气粗"，也不自甘"小模小样"；它基本上是一种"有教养的小家碧玉"的风韵，雪白的外墙、规整的窗格、简明的线条、精致的工艺、雅洁的氛围、爽朗的气度，令人感到既很现代化，又"中规中矩"，入住其中，是很舒适恬静的。我觉得连它门楣上"北京—

多伦多"的英文标识,不用粗壮夺目的大写体,而用秀气平易的小写体,也是经过精心考虑的,这就好比在素净的衣衫上,不使用豪奢的胸针,而别上淡雅的康乃馨,见之令人欣悦。

建国饭店

建国饭店是 80 年代初期建造的一座完全欧陆风格的高档饭店。据说那时候来中国做生意的一些西洋商人,他们对中国只怀有单纯的商业兴趣,从西方飞过来,就是跟中国人谈生意,而且恪守"时间就是金钱"的信条,谈完就直奔飞机场,全然没有旅游观光的闲情雅致;他们不喜欢你请他们住带有中国情调的饭店宾馆,什么中国宫灯、红木古式家具、螺钿镶嵌的仕女屏风他们都欣赏不来,也不习惯吃中国饭菜,他们希望到了北京能住进如同西方一样的饭店,过他们习惯的生活,吃他们习惯的东西,因此,便出现建国饭店这样"全盘西化"的别墅式饭店。

对于北京人来说,建国饭店是长安街上的一组最具现代西方富人生活情调的建筑,它的矮小并不意味着寒酸,而是炫耀着敢于奢侈地浪费空间;它那坡形屋顶下优雅的阳台,阳台上的休闲桌椅,还有攀缘在墙体上的常青藤,以及饭店门廊前的喷水池,都传达出浓郁的西洋风情;它的前堂虽然不算很大,却以两侧的落地玻窗将绿化得很精美的庭院延伸进你的视野,使人心旷神怡。

如今北京有了相当多的西洋别墅式建筑,但其中有不少那样的建筑总让人觉得虽然是努力地"依葫芦画瓢",却依然不能脱去一股子"画虎类犬"的土气。毛病出在哪里?要解决这个问题,便无妨多观察观察建国饭店。它的体量与它的斜顶、窗户、阳台等的比例,它那屋顶与墙体的色彩配置,以及整组楼体高低、退缩的变奏,都是很精心地追求着一种韵律的,大可作为借鉴。

国际大厦

中国有个成语，叫"秀色可餐"，也就是看到美丽的人儿，恨不得将其吃掉。这是中国"吃文化"的最极端的体现。中国人讲艺术欣赏，用一个"品"字，"品"是三张嘴，那乐趣似乎倒不在视觉，而是在味觉上。中国人赞赏一个艺术品好，往往说是"有味道"，"品味很高"，"韵味充沛"。所以，一幢建筑物倘若能让中国人产生出"可餐"的"酽味"，那说明中国人真是非常地喜欢它。

在北京建国门外大街北侧，80年代初耸起了一栋长方形高楼，是中国国际信托公司总部所在地，门楣上有叶剑英元帅题写的"国际大厦"立体标识，这栋楼落成后，北京市民约定俗成地称它为"巧克力大楼"，在这种"群体无意识"里，体现着北京广大市民对这栋西式建筑的亲切认同。

这栋建筑获得"巧克力大楼"的称谓，当然首先是因为它的颜色。以棕色装饰立面，在北京街头建筑中虽不算多，却也并非罕见；国际大厦迤东，大北窑的国贸中心，便使用了大面积的棕色玻璃幕墙；不过这栋国际大厦所使用的棕色，不是像国贸中心那样偏浅近冷，而是很接近于精炼可可酱那样，偏浓靠暖，所以引发出了巧克力的联想。

仅仅是颜色像巧克力，那还未必令人有"咬上一口"的欲望；这栋大楼在轮廓线的处理上，表面似乎方正无华，其实它的立面与每一转角处都尽量避免着生硬，而刻意营造着圆润的意趣，这就更能让人联想起一根巨大的巧克力外壳的紫雪糕。巧克力是一种从国外引进，而比咖啡更能令中国人接纳的食品，这栋大楼用于从国外融资，因此它所引出的联想，以及所获得的绰号，都说明它的设计创意是"对口味"的。

国际俱乐部

1972 年，美国总统尼克松访华，中国与西方世界恢复接触，并很快发展为与西方国家普遍建立了外交关系，西方国家驻京外交人员逐渐增多，这样，就需要为他们提供一个社交与休憩的场所，于是在北京建国门外的使馆区，便不仅耸立起了若干栋比较精致的外交公寓，也建造了专为驻京外国人与来访外宾购物的友谊商店，并且有国际俱乐部的出现。

以今天的眼光来看，建外大街上的这个国际俱乐部无论体量、规模都实在太小气，特别是它周遭及马路对面不断冒出高拔的新建筑，因此竟有人讥它为"一个过时的鸡窝"。

不过我以为脱离其产生的具体时代与人文环境来评议国际俱乐部是不恰当的。需知那时还是"四人帮"控制意识形态的年月，设计者动辄便会落得一顶"崇洋迷外"的大帽子。但这座建筑物的设计者还是尽了最大的努力，来营造出一种与西方文化相亲和的开放氛围。它的正面并不对着建外大街，显露于街面上的是它的餐饮厅与游泳馆。在美学创意上，它打破了对称的古典格局，多少体现出了一些西方现代派建筑的非规整趣味。显露于街面的部分，无论是二楼的椭圆形厅墙，还是游泳馆的高拔立柱，以及联系二者的楼廊，在那个时代，总算传达出了些微西方建筑艺术中的健康信息。

这个国际俱乐部从 70 年代一直使用到现在，我国外交部经常在它的多功能厅中召开新闻发布会，是许多重大的时代转折、社会变迁的见证者。

北京电台

它位于建国门外赛特购物中心东边。这栋楼的地基比较狭促，因而它虽然层数并不怎么超俗，耸起的剪影却相当地抢眼。

这种"瘦长个儿"的楼房，在世界上许多城市里都有。尤其在地价金贵的地方，万丈高楼有时只好从"豆腐块"般的地皮上拔起。比如在新加坡，其繁华商业区和金融区的高楼中，就有"秀气"得令人吃惊的代表性摩天楼，在旅游明信片上，它们骄傲地呈现着其倩影，促人怀念。

北京人民广播电台的这栋楼，说实在的远算不上"摩天"，而且细加推敲，也未必是因为没有足够的地皮将其建造得粗壮些——它的基座与辅楼向东延伸了好几十米。这栋楼相对于目前周遭的许多建筑，用褒词形容是朴素，用贬词描述则只能说是简陋。

这确实是一栋简直没有多少艺术追求，唯求功能性到位的楼房。但若仔细观看，则可以看出，它的所有楼窗，上下联缀成了一条"龙"，并且从楼体上凸现了出来，使这栋楼虽然"瘦"，却并无"弱"感，相反地，倒因为有了由窗框联成的竖凸棱角，而颇具"健美"的风采。我有幸数次进入这栋楼，参与节目的直播。我发现那些有外凸窗户的房间，多半都当做编辑部的办公室，在那样的办公室里，随便一抬眼，便能从外凸的无墙体遮拦的窗户，看到我们这座大都会的万丈红尘，这种视觉效果，对电台的编辑们，有很好的心理效应，就连我这种偶尔进入其中的人，也感受到一种"电台"、"电波"与整个社会，特别是与沸腾的生活，与万众的心灵，相亲和，相交融的那么一种激情。

建筑物可以是大投资并且"元素"复杂的，也可以是小投资"元素"简单的，前者具有作为艺术品的优势，却未必一定成其为艺术；后者却只要设计者刻意把"社会·人·心灵"的因素凸现出来，哪怕只从一点上突破，也就可能获得成功。

赛特购物中心

90年代以来，北京人拥有了越来越多的大型现代化购物中心。位于建国门外南侧的赛特购物中心，其建筑立面的最大特色，不消说是正面那个半圆形的玻璃幕墙。我在马路对面，问过几位路人："您觉得这座建筑顺眼吗？"除了一位说："没理会"，其余各位都给予了肯定的回答。

表面上看，这座建筑似乎无甚"说头"。其实，我以为设计师有很深的用意。他如果将那半圆形的玻璃幕墙"正放"，那就实在是太平淡了。请您注意观看：他不仅将那玻璃半圆"倒置"，而且，那圆弧其实并非是一个"正圆"的弧，而是一个比较更有"动感"的抛物线弧，因此那其实也就并非一个死板的"半圆"。这个富于跃飞感的弧形玻璃墙面，与大体方正并且显得墩实稳重的楼体，互补出一种"静中有动、动中有静"的意蕴，这也便喻示出这座高档次商厦所能给予顾客们的全方位享受。

"到赛特，观倒虹"，赛特购物中心立面美感集中体现在那个"倒置"的抛物线上，这是读它的一个"要点"。

在东三环北路东侧的燕莎友谊商城，其立面与赛特购物中心的风格迥异。赛特似乎是一种从"现代派"到"后现代派"的过渡性风格，以些许"非理性"来挑逗我们的视觉；而燕莎友谊商城则富有德国式的规整、严谨，富于"理趣"。

长富宫

十几年前我访问日本时，曾下榻于东京新大谷饭店。东京的那座新大谷饭店什么样？你如果去过广州，看到过广州花园酒店，那么，新大谷饭店的模样也就不难想象了。那其实是 70 年代现代化大饭店的一种"定式"。北京 80 年代新建或改建的长城饭店、昆仑饭店、西苑饭店等，都可以说是从这一模式中翻化出来的"变式"。其要点是以张开式楼体或斜梯形楼窗来满足不同部位客房的采阳要求，以及高踞于顶部的旋转餐厅。

位于建国门外长安街南侧的第一栋建筑，是日本新大谷饭店的北京分店，即长富宫。它没有采用东京本店的那种"定式"，在设计的美学追求上，体现了一种"雅静"的沉稳风格。

乍看这栋建筑，似乎太"不足为奇"。特别是现在长安街上，大的建筑似乎都争先恐后地"戴帽子"，要么戴个中国古典亭子，要么戴个西洋圆尖顶，谁都怕"歇顶"。长富宫却"反潮流"，看来并非为了"节俭"（它的建筑费用恐怕不菲），而是为了别辟蹊径。如果你仔细鉴赏，便会发现它的顶部并非"任其光秃"，而是精心地加以了艺术处理的。

长富宫无论从什么角度去看，都是很顺眼的。这说明设计者是在貌似平实的线条、体量和比例中，很精心地去体现"简洁明快"而又"雅在无言"的现代派装饰趣味。需知人的眼睛是一种并不能准确地反映出客观事物的观察器。初学雕塑的人，往往以为只要严格地按真实人体的比例塑出圆雕，便能取得"栩栩如生"的效果，其实不然，那样制成的雕塑，安放起来后，往往令人感到不是头大便是身子短了。因此，杰出的雕塑者，便应擅长"歪曲"真实比例，而让人眼观赏时产生出"恰可好"的愉悦感来。长富宫的设计者便具有这种能力，他不是在纸面上计算出"和谐比例"而照搬，他一定是考虑到了人眼的"偏差"，于是通过纸面上比例的未必和谐，来恰可好地使这栋成品映入我们眼帘时达到"舒服"。

国际饭店

1979 年，我随"文革"后的第一个出国访问的作家代表团抵达布加勒斯特，那时罗马尼亚跟前苏联闹别扭，反而跟西方加强了联系，所以在首都盖了不少挺现代化的西方式大饭店，记得当我一眼望到位于布市闹市区的国际饭店时，心中很是震撼，当时就想：要是北京也有这么壮丽的大饭店，那该多好哇！

我的好梦很快成真，80 年代中，位于建国门内北侧，正对着北京站，一座雪白的大饭店巍然出现，而且也叫国际饭店！

国际饭店的造型特点是打破了"火柴盒"模式，它以阔大的弧形墙面显示出一种现代化的气派，顶部的圆磨状旋转餐厅，则将"观赏城市天际轮廓线"的新式享受引进了古都。不少从外地来的旅客，甫出北京站，眼中便落入了这座饭店的身影，它仿佛是古都步入了现代化的一个巨大标记。

但是，从建筑艺术的角度来衡量，这座国际饭店确是并无多少创意的一种"国际通用范式"的挪用。它不仅与布加勒斯特的国际饭店"何其相似乃尔"，后来我又有了多次出国机会，并注意观看影视中世界各地的风情镜头，发现许多的第三世界国家，在 70 年代都盖了一些这种模样的饭店，而这种模样的饭店在西欧北美，只在 60 年代一度出现，就如"喇叭口裤"一样，早就"过气"了。

不过我们不应苛求北京国际饭店的设计师。这座饭店其实早在"文革"前便有规划，并且已经挖好了地基，被搁置了几乎二十年才终于耸立起来。想到此，我们也许会更加珍惜这座建筑所隐含的历史沧桑，还有那种努力与国际社会接轨的开放精神。

长安大厦

原来在西单十字路口的东南角，有历史悠久的长安大戏院，那是梅兰芳等许许多多的名伶迷倒过万千观众的一座艺术殿堂，近年来由于市政建设发展中的需要，它被拆除了。此事引来了无数艺术家和市民乃至于外埠甚至海外人士的扼腕叹息。其实在拆除它之前，有关部门就作出了还在长安街上，将其异处重建的计划。现在这一计划已然落实，在长安街的建国门内北侧，新的长安大戏院已然开锣启用，不过，它只是全名为"光华长安大厦"中的一部分罢了。

据电视里的多次介绍，更据某些在彼处登台献艺的艺术家和有幸成为首批观众的人士评议，这座大厦里的戏院不仅堂皇富丽，在设施与容量上大大超过了原来的那座旧剧场，可谓"鸟枪换炮"，而且与大厦里的其他部分构成了一个民众娱乐消闲的福地，既氤氲着优秀的民族传统的馨香，也焕发着清新刚健的时代气息。这当然是值得庆贺的事。

但这座大厦的立面作为长安街上的一道风景，却还有很不尽人意之处。它除了使用深浅不同，让人联想起"格子布"的玻璃幕墙的"现代化"手法外，也相当落俗地使用了中国古典宫阙的那些常见"元素"来体现"民族特色"。它在大厦的正中顶部，安排了一个天安门式的两层门楼檐顶，另外，又让两侧的楼翼略高，而高出的楼翼上，又以厚重的琉璃檐包装，使当中的"门楼"不是"水落石出"地自然挺拔，而是甚为"窝囊"地"陷落"其中，不知究竟为什么要这样地处理？或许蕴涵着什么深刻的玄机？我太愚钝，实在是仰望良久而难生美感，更无所领悟。它的正门以同色（浅土黄？）的材料（似乎还不能称为琉璃瓦，因为毫无传统琉璃瓦的亮丽感，而是相当沉闷的一种质感）处理为一座牌坊，造型实在小气，给人枯竹扎制的草率感。

交通部大楼

这座新落成不久的大楼位于建国门内北侧，它几乎使用了所有这些年来建筑设计上的那些时髦招数，例如：亭子顶，玻璃幕墙，高立柱，去锐角的墙面转折处理，等等。

据说北京市的那位前市长，对建筑艺术一窍不通，然而刚愎自用，抱定了建筑物上安些个亭子顶便是民族传统便是美的主张，强行要求设计师们"安亭"，故老百姓们私下里送他一个"雅号"曰"希亭"；当然建筑物上不是不可以配置亭式部件，可是这栋楼也顶个亭子，那栋楼也嵌个亭子，到头来难免风格单一，长官意志主宰了城市建筑，其危害亦不可小觑。

这栋交通部大楼以对称手法，在楼顶上设置了两个亭子。这两个亭子似乎是唐代风格，比较雄浑粗犷，这也是近年来建筑物上的亭式部件的常选样式，比如在东四西大街上出现的隆福市场新楼，那上面的亭式垂饰便也属这一流；这种风格的亭子在日本京都、奈良很是普遍，不消说，那恰是日本传统文化深受我大唐文明影响的铁证，我们现在盖些仿唐建筑，如旅游胜地的什么什么"城"，把在日本盛行的这些个亭式部件再请回来，亦无可厚非，但我总觉得像交通部大楼这样的建筑，顶上两座这样的亭子，似属多余，因为不能给过路人的观赏以新鲜感，并且，恐怕也没有多大的功能性可言。

不过这栋建筑物立面的色彩配置还是比较成功的，它以大面积的烟色墙面和立柱，体现出一种沉稳的气派，正门再以赭红色大理石镶成厚重的装饰框面，虽非华贵，却极端庄，望去很有点大国重镇的意味。

全国妇联

"半边天"是中国人对妇女约定俗成的总称，而具体到视觉形象上，则是用半个圆弧来体现这一意蕴，中央电视台《半边天》节目的徽号如此，位于北京建国门内北侧的全国妇联新厦，其设计构思亦未能超越这一符码系统，于是我们看到了三个互相勾连的圆弧形建筑，东边是妇联的主楼，它的弧面比较柔和，然而环拱着它的装饰性门廊，那弧形便未免有点直奔主题——似乎生怕面对它的人联想不起"半边天"来；当中的大门更以醒目的竖立得如虹霓的门架来强调出这一立意；也有人指出这构图还不止是表示"妇女能顶半边天"，这里面还有慈母情怀，乃至孕育着生命的母腹的意象。这些设计的构想不仅是情理之中的，也是完全可以表达得极其艺术的；然而不少人站立在这部分楼体前，总觉得视觉上还不是那么愉悦，我想，恐怕是那些重复使用的弧线之间，尚未寻求到一种最大程度的和谐。另外，虽然楼体很大，但因线条与配伍的装饰性部件沦于琐屑，因而给人气派不大，甚至颇为小气的感觉。

这座建筑的中间部分是中国妇女活动中心，它的立面依然是内凹的圆弧，然后再联通到最西面的辅楼，那辅楼则是外凸式的弧面，这两部分的弧面看去都比东边主楼的弧面顺眼。整组建筑是灰白色的楼体，配以绿色的琉璃瓦檐顶，而中国妇女活动中心的入口，却处理为酱红色的大理石门墙，并以乳白色的金属支架撑起了一个与弧形相异的，充满了棱角感，并很有现代派风味的风雨廊棚，我以为这是设计者相当成功的一笔，它多少化解了一些因"意义"过多所引发出的审美上的淤塞感。

中国海关

建国门内南侧的中国海关，其建筑美学上的追求有两个显著的特点，一是左右对称的亭子顶，这是突出民族风格，以体现中国气派；二是整座建筑形成一个巨大的"门"字，昭示出海关的"国门"性质。

关于亭子顶的运用，不仅建筑界内部，社会上其他各方面人士也都有所议论。无论是攒尖顶亭还是正脊顶亭，以及其他形式的中国古典亭子，都是我国当代建筑设计中取之不尽、用之不竭的美学资源。关键是在继承这一传统时是注入新的时代气息，有所发扬呢，还是仅仅出于"你说我民族风格不够，我就拿个亭子顶来凑"。中国海关的亭子顶在形态、体量上，与颇具现代化气势的楼体，配置得还是和谐的。

海关既是"国门"，便将楼体构成一个"巨门"。这是建筑设计中常有的一种思维定式。有人说这是"图解"，或"意识形态化"。其实西方哥特式建筑的高尖顶，最初大都是宗教建筑，那何尝不是图解"朝天通神"的企盼。精美绝伦的北京天坛建筑群，更是当时意识形态的产物。"图解"意念与"意识形态化"在建筑美学上，我以为是一个值得尊重的大流派，中外的古迹中都有不少这个流派的杰作，足资借鉴。问题是，"图解"与"意识形态化"在美学趣味趋于多元的现时代，会遇到越来越多的挑剔眼光，因此，使用这一美学策略时，便应格外富于创新意识，而不能"敷衍成篇"。以这个标准来衡量，中国海关的设计应说是认真努力的，但可惜给予我们的审美乐趣，毕竟还是较为单薄。

恒基中心

香港马上就要回到祖国怀抱了，位于建国门内南侧的恒基中心仿佛把香港的一角搬到了北京长安街上。这是一座再典型不过的"港式"建筑，其特点是在广泛使用西方古典建筑语汇时，比较突出英式风味。它中心部分那有锐锥状金字塔顶的钟楼，为了使其不至古板，钟面上部的凸檐处理成弧形；还使用了若干多立克式与科林斯式的浮雕柱，以及卷翘的檐体，来营造出丰沛的"西洋韵味"。但它其实又是很"现代"

的，这体现在使用着环绕楼体的多条带状玻璃幕墙，以及关键部位的"流线形"简洁处理；它又使用视觉上较为秀气的上蹿式金属珩架来装饰楼体最高处的立面；由于非常流利地将许多不同时代的建筑语汇杂糅在了一起，履行着"同一空间中不同时间并列"的美学原则，因此，它实际上最终应视为是一栋"后现代"的大厦。

因为近年来北京的新建筑动辄以顶上起阁安亭来体现"民族特色"，已出现不少的败笔乃至大败笔，少数其实将"亭子顶"运用得较为得宜的大厦，也被连累得一样地令人"厌饫"，因此，像位于东二环路东四十条附近的富华大厦，以及这长安街上的恒基中心，因为爽性使用了"全盘西化"的建筑语汇，倒反而令人眼目一新，甚至有人激赏。其实它们虽然"文笔通畅"，却还算不得多么富有创意。富华大厦似脱胎于英国16世纪"都铎风格"的沃莱顿府邸，当然，它也是杂糅了西方另外许多不同时代的建筑语汇，最终似还应归入"后现代"。恒基中心如果搬回香港，会显得更缺乏新意，但是在现在的北京长安街上，它的视觉效果却属于相当新颖的一类。

在有总体美学规划的前提下，北京长安街的建筑，其对不同风格的容纳应该是宽宏的。毕竟，北京已经是一座国际化的大都会。

中粮总公司

美国华盛顿的东区艺术博物馆，是著名美国华裔建筑设计大师贝聿铭的得意之作，其特点之一，是设计出了极其尖锐的楼体折墙；我曾在参观时特意跑到那锐折处观察，乃至以身臂"合抱"，一方面深感其趣味之诡奇，一方面也深感美国人钱多了舍得浪费，因为那样的设计新鲜固然新鲜，建筑物里面在空间使用上显然会造成人为的困难，我至今不知它那锐折墙体内的楔形空间能派什么用场。

没想到现在北京也有了这种锐折墙体的大型建筑，这就是位于建国门内南侧的中粮总公司。它正面相当开阔，两翼的转折都是锐角式，而且它后面的结构比较复杂，似乎还有锐折转角的处理。我亦无从设想它那锐角式转折的墙体里的楔形空间怎样发挥其实用功能。

撇开它那锐角式转折的墙体不论，仅就其立面效果而言，我以为这实在堪称是一幢美丽的建筑。与在马路对面同它隔路相望的交通部不同，它没有安装亭子顶，但它的顶部以多边形的双层结构，显示出了一种简洁大度的风韵；交通部大楼以两根立柱撑在两侧，构思未免落套，它却偏将两根立柱集中到横阔展开的非规整楼面的中间，给人以波俏奇诡的创新感；在楼前广场上设置了横向展开的喷水池，与整幢建筑也很谐调。

有路人望着这幢建筑，试图分析出它的建筑语言里所包含的"粮食"因素，那立面或鸟瞰的总体效果是否有些个"麦穗"的感觉？那淡褐色的墙面与灰色的连体玻窗所构成的交错视象又意味着什么？我以为这幢建筑好就好在没有什么图解"中粮"的前提，它摆脱了"比喻"的模式，追求一种自然通畅而又活泼奇突的"句法"，这样地使用建筑语言，在当前的设计风气下，是尤其值得肯定的。

外贸部

对东长安街上的几栋建筑，北京市民中存在着讥讽性的评价，说一栋是"帽子"，另一栋是"肚子"，再一栋是"裤子"。普通市民不懂建筑美学，也基本无缘进入这些建筑里面去体验其功能性效果，他们往往只是就其外观发表朴素的感想。这些感想值不值得重视呢？我们常说："群众的眼睛是雪亮的。"现在群众的眼睛感觉到某些建筑的"帽子"、"肚子"、"裤子"不那么让人舒服，并且直截了当地把感受说了出来，我以为从建筑师到规划部门及其他相关人士不但不能充耳不闻，而且应当从中引出一些必要的思索。

被戏称为"肚子"和"裤子"的两栋建筑我已在前面议论过。现在来看"帽子"。这就是位于东单十字路口西边南侧不远的外贸部新楼。这座建筑由中间的主楼和相对称的两侧辅楼构成,大体上是中高边低的"金字塔"构图。整栋楼的楼体处理非常平庸,稍有特色的也确实只剩那些楼顶上"帽子"。平心而论,那些高低错落的"绿帽子",与全楼体的比例还是和谐的;其努力摆脱仿古式"亭子顶"的创意,也值得给予一定的鼓励。主楼的"帽子"是"船形帽",辅楼的"帽子"则有点"滑雪帽"的感觉,承托"帽子"的支础,作了"砍角"处理,因此也颇有点俏皮的趣味。

外贸部原有建于 50 年代的,具有中式歇山顶的临街办公楼,现仍保留,白色楼体的新楼耸起于灰黑色旧楼的后面,主楼大门豁然向街,上面是圆弧形的处理,并且有一部分使用了暗色玻璃弧幕,使新旧楼间产生出一定的色彩联系。

这栋建筑的设计虽非高明,却也不能说非常失败。所以我建议过往的路人多给它一些体谅的眼光。不过,它与离其不远的"肚子"、"裤子"连在一起成为嘲讽的对象,倒也说明市民们的"集体无意识"里,积淀着一种对自己城市中大型公用建筑的更高的期望,那就是不要仅是用一些"刺目"的建筑元素来"惊心",而要用更具创意的建筑语言,来营造出一种令市民感悟到"这城市属于我们"的自豪氛围。

北京饭店

北京饭店是北京世纪沧桑的见证者。现在的北京饭店由三个部分构成。也许有的人把跟它联为一体的贵宾楼饭店也算是它的一部分;倘不从其经营权的分野而从建筑艺术的角度来观察,那么位于东长安街王府井南口迤西的这四个相连的楼体,也确实构成着一道浑然的景观。

其实最早的北京饭店是当中那一部分。它虽经一再整修，却还大体保持着民国初年的那种"西艺东渐"的风貌；你细看它的窗饰风格，很有些个西洋古典建筑的情调。它虽"美人迟暮"，却韵味犹存。这从你穿行在它横贯东西的公众共享长廊时，在那历经几十年而依然光润柔适的镶木地板上所获得的快感上，可以得到证明。

在老北京饭店的西侧，是 60 年代初启用的扩展部分。这栋建筑表面上并不怎么华丽，然而用料精到，内部功能性极好；特别是它那一楼的大宴会厅，开国内大饭店大面积多功能厅设置之先河，其气派的宏阔高雅，直到今天亦不显落后。它在外部形态上既照顾到与旧楼风格的统一，又在顶部很自然地使用了民族化的亭子顶装饰，因为有意不使用琉璃瓦，并使亭顶与楼体浑然一色相连，所以在视觉上给人以并不突兀的灵动感，化解了整栋楼体过于方正所引出的单调印象。

在老北京饭店东侧，则是 1972 年尼克松访华后建成使用的新楼，也是如今北京饭店的主楼；整个饭店的大门和大堂也设在这里。这座采取当时国际上较为先进的新型结构，却又将外部装饰减少到最简约的程度的大楼，在 1976 年的地震中显示出其防震设计与施工质量都居世界一流。它也是北京第一栋使用了人体感应自动扉的大楼，这在二十几年前曾是北京胡同杂院居民引为新奇的一个热门话题。

虽然现在北京已经有了甚至于可以说是太多的星级饭店，北京饭店的设施、气派、韵味都未必居于首位，但许多外国客人下榻的首选还是这家饭店；因为他们回到自己国家，当亲友们问及他们在北京住在哪儿时，一句神气的"北京饭店"，确实能使他们立时处于艳羡的目光中。

贵宾楼饭店

这座豪华的五星级饭店的外观并不怎么起眼。这大概是因为它必须与方方正正的北京饭店相连通。它的立面如果不保持大体方正而锐意出奇，在视觉效果上必定两败俱伤。

然而局促的建筑空间与相连属的环境限制并未使贵宾楼饭店的设计者敛缩起自身的想象力。他努力地在这栋建筑的内部，特别是公众共享空间的配置上，来营造出一种既华贵高雅又出人意料的优美氛围。

在贵宾楼饭店楼体的前方，恰好有一段早已存在的皇城城墙。这堵红墙该怎么处理？方案之一是将其拆除，以使饭店获得敞阔的前庭，并可从容配置水池喷泉太湖石圆雕之类的园林小品。但设计者没有这样做。他宁愿将贵宾楼的大门斜通于北京饭店的前庭，也尽量保留了这堵红墙。

我们进入了这座饭店，登上了其二楼的咖啡厅，便会眼目一亮，心中一喜。原来这个共享空间的南面完全处理成毫无界断的落地大玻窗，从这道窗面望出去，那堵古色古香的皇城红墙，恰好高度适中地豁露于玻窗之外！这便犹如颐和园昆明湖，巧妙地借景于玉泉山的妙高塔一样，令人觉得美不胜收！

老北京曾有"半城宫墙半城树"的美誉，加上秋高气爽时北京高高的蓝天，那碧绿、朱红、蔚蓝所整合成的京都之美，真是如诗如画，如歌如笛；贵宾楼饭店的设计者能以一面长窗，运用中国古典建筑艺术中的借景手法，将古都神韵尽搜于此，真可谓神来之笔了！

长安俱乐部

这是最近才出现在长安街上的新建筑，它的体量并不大，然而位置却极"黄金"，斜对着王府井大街南口，与赫赫有名的北京饭店隔街相望。

建国门外的国际俱乐部，是一个主要供外国驻华的外交官活动的空间；这个长安俱乐部，据说是主要供外国驻华商人与中国人中搞外贸的人士活动的空间，其活动方式表面上是休闲娱乐，实质却是谈判桌旁洽谈的延伸。这个俱乐部同北京时下众多的高档俱乐部一样，实行会员制，除了少部分餐饮空间可接纳临时来客外，基本上是只向其缴纳了不菲的会员费的成员提供服务。这是一个北京绝大多数市民难以涉足的空间。对它的内部情况笔者不敢率议。不过，它的外观却是公众共享的风景，因此也就只能任公众评说。

这栋建筑的立面追求堂皇、豪华的视觉效果，既有欧陆式的钝三角形屋顶，又有前凸的中式宫庭亭窗与门檐，自然也少不了玻璃幕墙与透明式转角的时髦处理，望去活像一位满身名牌、浓妆艳抹、珠光宝气的贵妇。

从建筑艺术的角度来说，这栋楼却实在乏善可陈。它过分恪守对称的手法，缺乏独到的构思与追求，既不庄重，也非灵动，色彩繁多而未达于绚丽，线条重叠而显得堆砌。

有人说像长安俱乐部这样的建筑，是 90 年代市场经济催生出的蘑菇，有一种暴发的气息，却缺乏坚实的文化积累感。市场经济是可喜的春雨，然而北京广大市民企盼在自己心爱的长安街上，挺拔出更多富有深厚文化内蕴的"雨后春笋"，而不希望尽是急匆匆用钱催出来的"雨后蘑菇"。

天安门观礼台

这里说的不是天安门本身，而是位于天安门城楼下面的观礼台，在金水河北侧是比较高的红色观礼台，南侧是比较低的灰色的观礼台。

这观礼台也算建筑？当然要算，因为它是土木工程，并且具有很翔实的功能性。

从 50 年代到 80 年代，这观礼台在节日期间都发挥过非同小可的作用，今后它们依然可能发挥其令人欣喜的作用。

这观礼台就算勉强可归为建筑吧，可如此简单的建筑，难道也有什么艺术性可言不成？

是的，这观礼台很简单，而设计师能把它设计得这样地简单，简单到甚至于你稍微离远点看便可以忽略不计的地步，那可不是一桩简单的事，毫不夸张地说，能设计成这样，非大手笔不行！

一般来说，建筑师都是做加法，做加法不是很难，出奇制胜，使其设计的作品跳眼，应是设计者的着意追求，这似乎都用不着多说。但是，在天安门前造观礼台，却不能让观礼台喧宾夺主，不但不要喧宾夺主，最好能做到实有却似无，因为天安门本身实在是个完美的建筑，再往它前头增添东西，不管那东西单独拿出去看有多么美丽，往天安门前头一搁，很可能是画蛇添足、为美女增须！天安门观礼台的设计者深知此理，便刻意地做减法，尽可能地减去一切可以减去的雕饰、细节，力求平淡无奇，不但绝不令其跳眼，而且尽可能使人们漠视它的存在，这样，就既保证了天安门本身在视觉上的完美感，又使观礼台在使用时能充分地体现出其良好的功能。他使金水河前的观礼台围壁与金水河栏墙一样地呈现灰色，混为一体；使金水桥后的朱红观礼台尽可能融入到天安门的红墙中去，不令悦目。

建筑艺术的最高境界，是与周遭的自然环境与人文环境相融相谐，而不是一味地追求华丽抢眼。对比于天安门观礼台设计者的拳拳匠心，古长城边的某些新建筑，以及不少名胜古迹所在地的新建筑，难道不是做了不该做的加法吗？

电报大楼

城市建筑中，有一种是在其高处嵌有公众共享计时器的，如英国伦敦的"大笨钟"，俄罗斯莫斯科克里姆林宫斯巴斯基塔上的钟，都是世界闻名的；整体而言，北京的这种街头的公众共享计时器还嫌太少；这些年北京的新建筑此起彼耸，却很少有在设计上考虑放大钟的；倒是 1959 年的"十大建筑"里，其中的两座都有钟楼，一是北京火车站（它有两个钟楼，气度不凡），一是位于府右街口迤西的电报大楼。

电报大楼这栋建筑放到世界建筑之林中去考评，自然不仅属于程式化的，而且属于无论结构和装饰性考虑都比较简单的，这一方面是那个时代的总体氛围是务实和朴素的，另一方面恐怕也是投用资金所限。

但是电报大楼历经 37 年的风雨沧桑，现在我们望去，仍是悦目的。它的主体与其上耸起的钟塔的比例是十分和谐的；它墙体上所显露出的结构线条，以及窗牖与总墙面的比例，也都很得体；它的基本色调——米黄偏橘红，与其附近中南海的红墙，以及人行道的绿树，还有秋日北京那澄净的蓝空，都很匹配；它的内堂在那个时代来说显得非常精致典雅，并且有足够的公众共享空间，并且直到今天也不甚过时，我们无妨拿它和挨着它的，于近年建成启用的民航大楼作一对比，后者内堂的空间处理就反而没有它精彩。

从离它已经比较远的北海大桥上，我们可以透过中南海的绿树看到它的身影，我们会觉得它虽然是一栋非民族传统的建筑，但是却因其线条的简洁明快，能融汇在古色古香的京城传统建筑群中，不显得突兀刺眼，反起着增添情韵的作用，这也是很值得称道的。

民航营业大厦

60 年代初，在猪市大街（现东四西大街）西北角，耸起了一栋高层建筑，以一个竖高的长方形衔着一个横展的长方形的大体量形态夺人眼目。这栋镶着米黄色饰片的大楼据说是利用建造人民大会堂的剩余建材构筑的。那便是当年的民航大楼，一楼有营业厅，其余部分用来办公。在那个时候，这栋民航大楼在北京市民眼中颇有"摩天"的气派。民航嘛！以"摩天"的气派引发出人们蓝天一游的欲望，是顺理成章的构思。

近年来在西长安街西单迤东盖起了新的民航营业大厦。这栋新楼的地点相当地"黄金"，按理说，它不仅应具有跨世纪的功能性，也应成为北京这座伟大京城，特别是长安街最繁华地段的一道引人瞩目的风景；然而，很遗憾，呈现在我们眼前的这座大厦在建筑艺术上却乏善可陈。我们并不要求它奇形异状，或一定要使用过多的修饰手段，它完全可以方方正正，可以朴实无华；但摒除了浪漫情怀，你可以采用德国包豪斯建筑学派的理性路数，或其他的严谨简洁风格，来呈现出一种气势，却不可以这样地古板平庸。

众所周知，改革开放以来，我国的民航事业有了突飞猛进的发展；在长安街的黄金地段，建造一栋新的民航营业大厅，设计者本应有着饱满的创新激情，本应给予所有路过特别是进入其中成为民航顾客的人特殊的美感；然而，却不知为何，花了那么多钱，盖出来这么一栋大而无彩的楼房，我们不能不问：设计者的想象力哪儿去了？在设计时除了功能性考虑，难道艺术追求的翅膀竟始终垂敛着？附带说一下，就其营业的功能性来说，我以为也很不理想，根本就没有配置足够的"公众共享空间"，活动于其中，没有什么愉悦感，甚至于觉得局促而枯燥。

对比起来，这栋新的民航营业大厦，倒还不如东四西大街的那栋旧民航大楼"抢眼"。

民族文化宫

1959 年国庆节前，北京的"十大建筑"落成。十座大型建筑是：人民大会堂、历史博物馆、电报大楼、民族文化宫、军事博物馆、广播大楼、北京站、农业展览馆、工人体育馆、工人体育场。其中前六个都在长安街上。"十大建筑"即使以今天的眼光来审视，其设计中的美学意蕴也是丰沛而久远的。说实在的，虽然 37 年过去了，长安街上这几年增添了不少簇新的摩登建筑，但其中有的新虽新矣，如作为一本"巨书"来读，那么，就未必都有这十座"古典名著"那样的魅力。

现在我们来看位于复兴门内北侧的民族文化宫。我以为这是一件杰作。我喜欢它，还并不是因为它中央的塔形主楼，与两翼的环臂形辅楼，喻示着民族大团结，以及"中华民族自立于世界民族之林"，其造型非常之"切题"。我主要是觉得它那亭子顶不仅一点不勉强，而且在形态、体量以及色彩上，对整个建筑群起到了视觉上的统率作用。它墙面上窗门的数量也比例得宜。特别是整栋建筑所采用的装饰性配件，既不显得繁琐"抢戏"，也不令人感到疏落沉闷。它整体上慎用鲜红、明黄等暖色（这本是为了"图解"而最省事的做法），偏偏采用了蓝色和绿色等冷色调的配置，营造出了一种宁静安谧的和谐氛围，这就从更深的层次上，宣喻出了中华民族勤劳质朴、热爱和平的可贵性格。

据悉民族文化宫东翼的剧场将改造为一个歌舞餐饮式的场所，这不仅使长安街上丧失了最后一个严肃艺术的演出场地，也可能使那里的建筑立面大为改观，从而使这首存在了三十七年的"凝固诗篇"，化雅诗为俗调，实在令人扼腕长叹！

中国人民银行

很显然，这座建筑的艺术构思里有"聚宝盆"的意向。"意向"是一种概念性的指向。倘若停止在这个层次上，那么，很可能产生出一栋图解式的建筑，而且是笨拙乏味的图解。但这栋位于复兴门内北侧的中国人民银行大楼,其设计者却超越了"聚宝盆"的意向,而呈现出一种富于韵味的意象。"意象"与"意向"之不同,就是使单一的联想指向,导入了丰富而交融的想象空间。

中国人常常使用"元宝"(金锭、银锭的形状)来象征财富。所谓"聚宝盆"一般也都袭用着"元宝"模式。但"元宝"实在是一种俗不可耐的形态。90年代在北京地坛公园东门对面,建成了一栋高档的商品楼"京宝花园",其立面便是"元宝"形状;该高档公寓楼的投资者与购买者有喜爱"元宝"形状的审美自由,但中国人民银行的大楼却不该体现那样的审美趣味。感谢这栋大楼的设计者,他取"聚宝盆"之民族文化精髓,与西方现代派建筑在变形上的灵动手法,加以糅合、融通,结果构筑成了现在我们所看到的这栋新颖别致的大楼。

这栋大楼一反世界上大多数金融机构的那种以高耸入云、体壮貌雄来显示其实力的惯常手法,它不是纵向拔升,而是横向铺排;横向铺排的格局很容易落入单薄小气,它却以一个饱满的圆形前楼,先给人视觉上以丰盈充实的冲击力,然后再将后面楼体以灵动的环抱感来进一步加强你的印象,使你对这栋建筑产生出一种亲切的、可信赖的感受。长安街上使用弧形楼面手法的建筑颇多,这栋中国人民银行大楼的弧形楼体我以为是最优美的,它当中既蕴涵着一些中国民族折扇与屏风的意味,也糅合进一些海贝与西洋古典衬领的风韵,是很受看,很耐品味的。

我还特别欣赏这栋建筑外表保持水泥原色的设计,这使得它那相当浪漫的外形,在朴素到古拙的色彩与质感的中和下,回归于端庄沉静,这恰是国家银行所需要的一种风格。

百盛购物中心

著名诗人、杂文家邵燕祥对我说,他觉得位于复兴门立交桥东北角的百盛购物中心像是几只大箱子垒在一起,没有什么美感。

对建筑物的解读,也是仁者见仁、智者见智。也许有人觉得百盛购物中心很美。不过就我听到的评议而论,叫好的似乎不多。

据我看来,这座建筑物的设计者似乎从三个方面汲取着创作的灵感:一是西方现代派建筑那种注重体现工业化高峰的超自然气派,一是西方后现代建筑所追求的那种"拼贴式"的装饰趣味,三是中国民族建筑的檐顶风格。应当说设计者是颇具匠心的。这座建筑的位置非常显要,因此一旦落成,其优点和缺点便一定都会愈加"触目惊心"。尤其是它与正面对着长安街的中国工艺美术馆以及旅行社的办公楼相属连,这就更加重了总体设计上的难度。

我以为百盛购物中心在杂糅上述三种风格时,因为平均用力,或犹豫不决,所以三方面的因素未能互补,反倒"打起架来"。因为整栋楼体并不怎么高大,所以超自然气派的营造便施展不开。"像几个大箱子垒在一起",如果大胆夸张一些,不必那么规整,"非理性"一点,也许其"后现代"的趣味会更凸现一点,但是现在却表现为缩手缩脚,放不开,也就耍不出幽默感来。民族形式檐顶的运用,单论应该说是成功的,但与其他部分的整合效应却并不佳。这是否是一次未能取得成功的"折中主义"尝试?

电教大楼

这是一栋落成启用不久的新楼,位于复兴门内东南角,隔着马路与百盛购物中心相望。它的全称应是国家教委电教大楼。

望着这栋楼，我便仿佛看到了设计者那颗跳动着的心。那是一颗充溢着创新欲望的心，一颗竭力从具有束缚力的"定式"与"定势"中突破出来的心。

所谓"定式"，近年来建筑设计上无非是：玻璃幕墙、中国古典亭子顶（或西洋金字塔顶）、通天柱、弧形转角（或"切角"式处理）、连通式密封窗、琉璃瓦部件（或烧陶部件）装饰……

所谓"定势"，是你不直接挪用中国古典建筑的传统语汇，便会被批评为"有悖民族传统"；而你若不大面积使用玻璃幕墙或几何模型式的外观及顶部处理，则又会被视为"不入现代潮流"。

彻底摆脱"定式"难，彻底摆脱"定势"更难。在遵守"定式"中的合理成分，并且尊重"定势"中的合情企盼的前提下，如何曲径通幽、柳暗花明？

电教大楼的设计，体现于楼体的，是一种对非玻璃墙体与玻璃幕墙之间，以及对线条与色块，还有对楼体立面的平与斜、对称与非对称这诸种关系的耐心探求，求的是和谐，是灵动感，是整合后的悦目，以及时代精神的非强制性的自然表现。

看得出，最折磨设计者的，是对顶部的构思。根据电教中心的功能性要求，顶部必须要有高耸的天线，这天线以怎样的建筑语言来托举？是采取立交桥西边广播大楼旧楼的那种苏俄式，还是其新楼的"天坛顶"式，抑或是再往西的中化公司大楼的那种西洋"蒲公英"式？显然是经过反复的推敲，甚至是经过了内心的好一番挣扎，设计者终于定稿于现在的这种方式：以四块略向内倾斜的长方结构，既不像亭子檐顶，又不喻意于"书籍"、"文件夹"，也不似现成的几何模型，来组合成一个顶部；而各相关的长方板块之间，则作了细心的锥形凸窗的处理；莫名其妙么？无可名状么？不管它！只问你：顺眼不顺眼？

我不敢断言，人们都像我一样，答曰：顺眼。但我为设计者力图有所突破的心思热烈鼓掌。

广播大楼

电视的深入亿万家庭曾使一些人为广播担忧，近年来的事实证明，电视不仅绝不会淘汰掉广播，甚至也未必就占到了广播的上风，有一些人在广播与电视二者间是更钟情于广播的，特别是出租汽车司机们。

复兴门外的中央人民广播电台大楼是一座有近 40 年历史的建筑，它的美学创意是前苏联式的，在品字形的米黄色楼体上端，有耸起的塔楼，从比例上看，是比较纤秀的；塔楼的壁体作了镂空花纹处理，它也是安装天线的部位，设置它不光是为了装饰，其功能性是很强的。

这座建筑在很长的时间里，都在复兴门外独领风骚；因为那时附近基本上都是些单调的"板楼"；它焕发出一种庄重而典雅的文化氛围，给北京增添了一点有所变化的天际轮廓线。它附近的立体交叉桥是北京最早建成并投入使用的，它与立交桥现在相得益彰，互相整合出了一种现代化城市的怡人风貌，这说明即使过了几十年，它也还不"显老"。

随着我国广播事业的发展，这座大楼现在当然已经不敷使用，在利用它再立新功的同时，兴建新的广播大楼当然极有必要。现在我们可以看到，在它的正后方耸立起了一栋体量似乎略超过它的新楼，这栋楼下部基本上重复着前面老楼那种稳重、对称、规整的风格，这是可以理解的，因为倘若基本形态变化太大，也许会造成视觉上的紊乱；但这栋新楼装上了显得十分沉重厚实的"天坛顶"，这"天坛顶"不仅单看十分矫情，与前面老楼的"苏式顶"合观尤其不协调。这两栋楼贴得非常近，一前一后，像列队的士兵；但这两个"战友"却戴着风格大相径庭的"军帽"；它们的"军装"色彩的反差也挺大，前面的是米黄，后面的却给人以蔚蓝色为主的印象；也许，一位是"空军"，而另一位是"海军"？

中化公司大楼

这座大楼的设计，综合运用了近年来中国大陆建筑设计中的种种时髦手段，如高拔的楼体、弧形转角、玻璃幕墙、长框连体窗、金属桁架与大理石圆柱组合的大门、锥形尖顶、"蒲公英"式天线……但总体而言，这座大楼的外观却乏善可陈。关键是它在使用这些时髦的建筑语汇"作文"时，只是达到通顺而已，缺乏创造性的灵气。

最近建筑界有的人士提出，需确立新的建筑观念，"根据世界建筑界的当代精神，建筑应是为人类创造生存空间的环境科学和环境艺术。也就是说，我们应该把过去那种将建筑比附为音乐、绘画和雕塑的旧观念，彻底抛弃了。"（见 9 月 4 日《光明日报》）我们作为北京市的普通市民行进在长安街上时，不可能进入到大多数的大厦中去考察它们所营造的"生存空间"是否科学合理；但不管我们是否具有建筑美学方面的观念（无论新旧），这些建筑物总是难以避免映入我们的眼睛，从而引发出我们对这些建筑美学的外行朴素的审美反应，也就是说，到头来，我们还是会首先判定它"顺眼"还是"不顺眼"；把我们这些外行话坦率地讲出来时，恐怕一时还难免要"将建筑比附为音乐、绘画和雕塑"，而不能将这种眼光、语汇"彻底抛弃"。附带说一下，最近我们在报刊上所看到的由建筑界人士所撰写的建筑艺术评论，也还是在使用着"美观"、"韵律"、"色彩谐调"、"立面气势恢宏"等语汇。当然，即使是外行，我们也应学会那样的眼光：不是把一栋栋建筑物当做孤立的东西来考察，而应将它们的相互关系，以及所构成的整体人文环境，来加以评价。

回过头来再说中化公司大楼。不管怎么说，作为长安街上的路人，我们总希望耸起的大楼或者以其本体给予我们惊奇，或者让我们感到它在整个街区环境中起着某种特殊的作用，然而中化公司大楼在这两点上都未能赋予我们乐趣。

光大大厦

这栋大厦和中化公司大楼离得很近，而且都在复兴门外大街南侧，它们的高度、体量也差不多，粗粗望去，其外表都有玻璃幕墙，并且非玻璃部分的墙体也大体都是灰白色；然而，却不能说它们是"何其相似乃尔"。

我以为，光大大厦具有若干中化公司大楼所不具备的优点。

光大大厦虽然也用玻璃幕墙，但它不是平板机械地铺敷，而是结合着功能性的考虑，将墙面作若干次棱形的处理，这样既增加了楼内空间采取自然光的机会，也使大厦的外观避免了刻板单调。它那玻璃幕墙的颜色乍看与中化公司大楼很接近，但后者大体是正蓝色，总让人觉得有些个"怯"（土气）；它却避免了"正色儿"，而选取了从正绿往正蓝变化过程中的一种"中间过渡色"，看上去便比较舒服。

中化公司大楼在玻璃幕墙与非玻璃墙体的配置上，采取了非常规整的对称方式，显得呆板；光大大厦却力求活泼，它从高层往下，将非玻璃墙体构成四级倒梯形，这就使整栋大厦有了一些个视觉上的惊奇效应。不过，它在创新上似乎胆子还不够大，有些个缩手缩脚，还不能彻底摆脱"对称式"观念的束缚；其实，它的各个立面完全可以处理成互不相像而又交相辉映，给予人们更多的惊奇与联想。

光大大厦的顶部处理不能说是成功的。但它力图从中国古典亭子顶（方亭或圆亭）的模式中解脱出来，这种努力是值得鼓励的。它也不是那种西方一度时髦的几何模型式的金字塔顶。也许从设计图上看，它的顶部体现着很明确的追求，但建成后的这栋大厦，路人即使走远些从马路对面细望，也还是很难看清它的顶部究竟戴的是什么"帽子"，这种暧昧的美学效应，也许倒成为了它的一大特点。

特别值得称道的是，光大大厦在设计伊始，就充分地考虑到，它的位置既是在长安街街面上，也是在一条与长安街竖直交叉的街道的把口处，因此，究竟把大厦的"正脸儿"对着哪儿，才既显示出自我的"威风"，又与周遭的环境相配合呢？设计者最后是将"正脸儿"斜置，望向西北；这一面并不使用玻璃幕墙，顶部是"光大银行"的金字标识，气派不凡。

燕京饭店

明成祖时兴建的北京城，基本上是在恢宏的整体设计下，一气将之呵成的。现在其中轴线上，犹见当初的惊人气概与深邃哲思。但本世纪以降，北京城被历史的雕刻刀零敲碎塑了，尤其是后半个世纪城中所陆续建起的楼房，多是"想起一出是一出"的"即兴演出"，不但谈不上有什么整体意识，往往其自身也只顾个"眼前利益"。

位于复兴门外木樨地附近的燕京饭店，便是这种"应时而生"，单摆浮搁的产物。大约是在 70 年代末 80 年代初，国门初开，外宾渐多，光靠北京饭店、友谊宾馆之类的地方，安置不下那么多客人了，于是有燕京饭店等新的"涉外饭店"冒出。当然，"最高级"的外宾，还是往钓鱼台送；"较高级"的外宾，也还是安置在北京饭店等处，燕京饭店是接待"一般外宾"的。

"像燕京饭店这样的方块楼，毫无艺术性可言，有什么好说的？"读友们可能会这样问我。我还真有得可说。记得 1979 年 5 月，我参加"文革"后第一次派出的作家代表团访问罗马尼亚,到了布加勒斯特,主人让我们下榻于该市的"多洛班济"饭店,那是当年罗马尼亚为接待"一般外宾"新盖的饭店之一,也是一栋长方形的,几无什么外部装饰部件的"板楼",可是我下了汽车头一眼望见它时,却觉得它非常地别致!我心里想:这楼怎么只有窗户,不见一个阳台呢?那时我以为凡高楼总得设置阳台,1973年左右建成的北京饭店新楼,也是充满着阳台的嘛!没阳台反倒成了那楼的"戏眼"。住进去才知道,那楼里有"中央空调",也就是说里面有"人造气候",哞!多了不起啊!于是悟出,设计者故意不设计出阳台,恰是为了显摆其"现代化"气派。燕京饭店其实也和那"多洛班济"饭店一样,是那个历史阶段的产物,设计成那样,想必一是当时经费有限,而且要适应形势,快快上马;二是别看它方方正正,却无阳台,正显示出一种非同小可的"流线形"气派。当然,燕京饭店只是正面无阳台,其侧面还是有连体阳台的,比起罗国的"多洛班济",更具发展过程中的折中痕迹。

这样来看燕京饭店,也就看出了它在北京城建筑风尚流变中所具有的某种文物价值。城市的建筑物不仅可供我们探讨环境科学与环境艺术,它也是城市文化发展轨迹的巨大见证。

全国总工会

这是一栋旧楼,位于复兴门外大街南侧。我弄不清它是一建成就是这个样子,还是后来才附加了一些个装饰性部件。但它呈现为现在的这个模样,总有几十年之久了。

它也属于方方正正,设计与结构都仅是功能性到位,较少考虑到艺术性的那种建筑。我之所以要议论它,是因为在长安街上,至今还存在着不少50年代至70年代建成的几乎无任何艺术考虑、没有任何装饰性部件的大体量楼房，如位于王府井大街南口对面、台基厂北口西侧的原煤炭工业部办公楼（现在被许多单位分割使用，门口挂满牌子），位于木樨地的板状住宅楼，等等；80年代末90年代初，一些这种建筑物的使用者可能是感到其面貌未免太寒酸，与长安街的整体气派太不相称，于是开始用外加装饰性部件的处理，来使其"面目一新"，比如位于正义路北口东侧的中国纺织总会（原纺织工业部），那栋楼原来不仅简陋，可以说相当地猥琐，实在是可惜占据了那么一个如此黄金的位置。近年来，这栋楼大动"美容术"，不仅加高了楼层，立面还增添了许多的装饰，如镶嵌白瓷砖的墙面，加上土绿色的琉璃瓦式檐顶，以及营造了一些对称的图案，等等。这种试图以"美容"来化解单调简陋的努力是应当肯定的，但是其方略却实在不敢恭维。它的构想，是似乎只要抹了"美容霜"或戴上了"假睫毛"，便一定会靓俏起来；其实高明的美容术不在所用的材料如何时髦、使用的技巧如何高难，而在于尊重原有素质，审体量材，以恰如其分的方式，来营造出一种韵味。在这一点上，全国总工会大楼的装饰性部件的选择与使用，给我们提供了成功的范例。

这座建筑的楼顶，本是最古板的平顶，怎么让它多少增添些趣味呢？一般性的方案，是加琉璃瓦的檐子；倘舍得大投资，或者还可以顶上起阁；但此楼的方案，是只不过沿楼顶边沿加了一圈中式建筑的"瓦口"，投资极其有限，却顿化古板为灵动，取得了很好的视觉效果。它把高层处的一些窗户，上部处理成圆弧形，再略加上些浮雕花纹，也便改进了立面的单调。它的正门未能获得充足的伸展机会，但就在那相当狭促的空间里，用上展下收的几个水泥原色的托拱，使人产生出中式宫阙风格的联想，大方而经济。整体的视觉效应，即使在这90年代，也还经得起反复品味。

军事博物馆

50 年代初，中国在各方面都受到苏联的影响，建筑设计上也不例外。最突出的例子是位于西直门外的苏联展览馆（后易名北京展览馆），其特点是以一个带锐锥形尖顶的主体建筑，对称地铺排开辅楼，后身则以飞机机身形状延伸，构成一个气势恢宏的群体，以喻示蒸蒸日上、欣欣向荣。苏联的此类建筑，其实是从俄罗斯古典建筑中撷取精华，加以发挥而形成风格的。"十月革命"的指挥部所在地——圣·彼得堡的斯摩尔尼大厦（原沙俄海军总部），主体结构便是高大的圆柱撑起巨大的屋架，上面再挑出锐锥形摩天尖顶。不过苏联时期的此类建筑格外注重外装饰部件，除了种种以镰锤麦穗及各民族民俗图案为题材的浮雕外，必不可少的是尖顶上的红星。

作为 1959 年向国庆十周年献礼的"十大建筑"之一的革命军事博物馆，其艺术风格是苏式的。它的整体结构与布局类似于苏联展览馆，但不像苏联展览馆那样纤秀雕琢，而是追求厚重墩实、淳朴浑然的视觉效果，这与它的功能性质是相符的。它的尖顶从体量与相对于楼高的比例而言，都不那么锐利玲珑，但因为它所承托的红星还要有叶环匹配，所以从视觉感受上，还是会使我们产生星星似乎过大过重的印象。不过当年"十大建筑"的设计考虑都相当周密精当，施工质量更属上乘，因此，当 1976 年唐山大地震波及到北京时，原苏联展览馆尖顶上的红星被震坠跌碎，而军事博物馆上闪闪的红星却依然巍峨高踞。

军事博物馆虽然不是什么出色的建筑，然而它本身是一种美学时尚的历史见证，自有其独特的价值所在。

中央电视台

前些时到马来西亚的吉隆坡去了一趟，自然特别去观看了即将竣工的佩特罗纳斯双峰大厦，这是大马国家石油公司斥巨资兴建的，到目前为止，这座高 453 米，当中有 K 形桥廊沟通的双峰大厦是世界上最高的摩天大楼，成为了吉隆坡市民引以自豪的一个标志。

一座城市以其中的一栋最具特色的大型建筑为其标识，或至少是能令其市民引以自豪，已成为人类社会的一种文化时尚，如法国巴黎的艾菲尔铁塔，美国纽约的世界贸易中心双方塔，等等。但这种建筑物的出现，一般都需要超常的投资额，并且建筑物本身也应具有非同小可的社会性功能。近年来，我国一些城市里兴建了投巨资的重要建筑，并由于设计者不负众望，使其成为了改革开放历史阶段的纪念碑，并可望以其美学上的创意流芳后世，如上海黄浦江东岸巍峨新颖的电视塔。

80 年代末建成，位于北京长安街西段的中央电视台，本是有资格成为京都一座标志性建筑的，谁知现在它矗立在军事博物馆迤西，显得不仅平庸，而且，恕我直言，简直是有点寒伧！它的内部功能性也许还不错，然而它的外观实在不能恭维。位于西三环北路的北京市电视台大楼，虽然也不能令人满意，究竟还以左右两道冲天而去的曲线，牵动着观看者的情绪，使其至少有些个跃飞的想象；中央电视台的楼体却干巴巴的，单薄小气；楼面设色也缺乏应有的凝重与辉煌；它启用的时间并不怎么长久，但现在从近处看，已有褪色剥落的地方；这座造价不菲，而且极为重要的建筑，正被京城中，特别是它附近接踵出现的建筑物比了下去，它甚至于不如其后面的那座三星级饭店梅地亚中心那样多少有些视觉上的美感。盖这样一座大型建筑洵非易事，我们只有期待另外的项目能令我们刮目相看了！

城乡贸易中心

建筑设计上不是完全不可以从理念出发，但如果仅是直露地显示理念，搞成"看图识字"式的图解，而全无理趣可言，那便是失败的设计。

位于长安街西头公主坟大转盘西北角的城乡贸易中心，我以为就建筑艺术而言，便是一件失之于浅露生硬的失败之作。

这座庞大的建筑以其中高耸的部分象征"城"，然而用几个与其相连属的矮粗一点的部分象征"乡"，再以下部一圈将"城""乡"二者环围的裙楼，来表达"城乡团结"的主题。这种用意是一目了然的。

这座建筑的功能性也许尚可。但因为它的体积很大，在北京西长安街的那一路段构成着重要的景观，因此我们不能不在艺术性上对它提出比较高的要求。

高大的城市建筑构成着城市的天际轮廓线。这样的建筑不仅应有尽可能悦目的外观，尤其应有从各个角度望去都令人视觉舒畅的天际轮廓线。城乡贸易中心的天际轮廓线却不仅从正面直视缺乏美感，从其余几种角度望去更显得暧昧不明，甚至于有笨拙失衡的感觉。

中国古代诗歌的发展，在唐时达于极盛，那时大多数诗歌都充盈着丰沛的意象与韵味，如"大漠孤烟直，长河落日圆"，"犬吠水声中，桃花带雨浓"，似乎极"无理"，却又天然浑成，给人以直观的美感；到了宋代，有一种专门表述道理的诗兴盛起来，这种诗可能不提供充分的画面与动感，但其说理却很富于趣味性，如"梅花香自苦寒来"，我们读着时还是很舒服的；但到了再后来，有人写起诗来变成押韵而已的顺口溜，直白得到乏味的地步，那我们就只能对之摇头了。当代的建筑设计师们，或许应当多多地从优秀的唐诗宋词中，汲取艺术营养。

东单菜市场

1980 年我在中篇小说《立体交叉桥》里,通过主人公的眼光和思绪,这样写道:"(东单)十字路口西北角,把口那座古旧大棚构成的'东单饭馆',依旧触目惊心地映入了他的眼帘。……三十年了,这座丑陋陈旧的饭馆虽然一再粉刷,却永不见拆除重建,它还要存在多久呢?"现在离我写这篇小说又已过了 16 年,尽管整条长安街有了相当大的变化,但东单路口的房屋轮廓线,却很遗憾地并没有什么根本性的改变。我那小说里写到的东单饭馆,以及与其比邻的东单菜市场,都还"健在",和当年的区别,仅在于其门面连成了一体,并且菜市场内部利用原有的高架棚空间,搭出了二层楼面而已。

在这专栏里,我"读"了那么多或高大雄奇或簇新泛彩的建筑,现在怎么忽然"读"起这一被我在 16 年前判定为"丑陋陈旧"的房屋来了?事情是这样的,一位朋友,他对长安街,以及北京别处的若干新建筑,动不动玻璃幕墙,动不动顶些个大大小小的仿古亭子,非常地不满意;他愤激地说:"我的眼睛,宁愿多对着东单菜市场看!心里还舒坦点!它虽然简陋,但立面造型总算有些独特的弧形!"听了这朋友的话,我抛弃我那小说中人物的眼光,试着用这位朋友的眼光来"读"东单菜市场,于是,我也发现,它前些年重新修整过的立面,确由三个颇长的弧线(中高,两侧对称下斜),整合为一种"祥云形"的视觉效果;这当然无论是以我们民族传统的角度,还是从西洋建筑史的角度来衡量,都属于非常"小儿科"的造型,本不足道;但是,为什么时下的新建筑,几乎很少在立面上大长度使用弧线轮廓呢?是我们的建筑师们的审美意识都过于"方正"了吗?

"通读"长安街,就此告一段落。说了一些外行话,而且"站着说话不腰疼",人家辛辛苦苦设计、建造出来的作品,仅仅因为自己不欣赏,便直言不讳地加以了批评，实在是非常冒昧！愿有关的设计者建造者，多多海涵！我所要表达的，其实只不过是许多市民们的最朴素的愿望：城市规划者，建筑师，建筑部门，以及其他有关的部门，为把我们心爱的北京城变得更加适合于人们生息，更加美丽，更值得引以自豪，拜托了！

城市美学絮语

河城与湖城

有学者以巴黎与北京作比，认为二者的区别，体现于前者为"双岸城市"而后者为"单岸城市"，即巴黎以塞纳河上的西岱岛为"脐"，整个城市以河为脉，呈涟漪状生发而成；北京却甩开南面的永定河，取"水北山南"的阳势，以紫禁城为中心，呈井田状生发而成。论者以为这种城市面貌的差异，体现出了东西方文明的异质性。西方文明在发展中有一种执拗的"海洋—商业"取向，而东方文明则固守"内陆—农业"取向。

粗略地想来，上述分析，不无道理。欧洲的都会名城，呈"双岸"状态的确实不胜枚举，除巴黎外，伦敦骑于泰晤士河，柏林跨于施普雷河，罗马分傍于台伯河，布达与佩斯于多瑙河两岸整合为一城，布拉格由伏尔塔瓦河西岸发展于东岸，华沙任维斯瓦河北淌中分，莫斯科则由莫斯科河与其支流雅乌扎河切割……此外我们还可以毫不费力地罗列出里昂、慕尼黑、日内瓦、基辅……这些欧洲城市，大都很早就重漕运、热外贸，其"双岸"架构，洵非偶然。中国的城市，且不说北京、西安、沈阳、洛阳这些地方，就是依江的大城，如南京，它也是只在江之南侧发展自己，航道与江桥于一般市民来说，只能算是近郊景观；本世纪发展起来的沿海通商口岸中，也就是天津有海河穿城而过，堪称"双岸城市"，直到 80 年代，上海与广州虽都傍江而立，但黄浦江之东、珠江之南，还是被视为"城外"，或至多美其名曰"都市里的村庄"；大概是中国人潜意识里有种力求立足于"原上"的稳定感，总觉得被河汉所切割的城市太紊乱，而且那种浮动的"波上"感只能是一时用于遣兴，不堪大用，所以有些小城尚容忍其呈"双岸"或"多岸"状，一到建大城，便必甩开江河，正襟危坐般地盘踞于一方"宝地"之怀。

不过依我细想，面对毕竟是多种多样的城市格局，一律用"双岸"或"单岸"的模式来衡量城市的性格，恐怕到头来会落于胶柱鼓瑟。我们还可取另外的角度，来观察城市风貌与市民性格的某种共生性。

北京在历史发展过程中，也并非没有水道流经市内，比如现在北京崇文门、宣武门外，虽已无一条江河流经其中，但从所遗留的"水道子"、"三里河"、"河泊厂"等地名，便透露出了当年曾有水运存在。我这里要强调的是，即使现在的北京，也并非是一座纯粹的"陆城"，那些一般公园绿地中的湖池且忽略不计，北京其实是一座城区中有大面积水域的都城，从西北往中轴附近看，它有六大块湖面相属连，按顺序是：积水潭、什刹海后海、什刹海前海、北海、中海、南海。其中前三个湖面，如今仍是非圈定的自然景观，与附近基本保持古城特色的胡同、四合院居民区相连属；目前已有聪明的生意人将其开发为"老北京胡同游"的区域，吸引了不少的海外游客；确实，北京古都的神韵，在这西北城的湖区积淀最为浓酽。从某种程度上说，北京其实可称之为"湖城"，湖虽也是水域，并且北京的湖水并非淤雨而成，是源于玉泉山而最终泻于通惠河的活脉，但湖毕竟是湖，不同于江河，它是宁静淡泊、恬然安谧的，它没有竞争之态，颇具能忍之心，可是一旦发泄起内在的情感，那也非同小可——我在北京什刹海畔居住过18年，隆冬，湖水冰封，似极静穆，但在深夜，因气温过冷，湖水因进一步冰冻而猛然膨胀，便会在湖盆中发出訇然的冰吼，那声音真是惊心动魄！

北京是常用来与上海对比的。往昔的"京派""海派"之别，且不再论。现在随着浦东开发的旺势，上海成为中国最具特色的"双岸城市"，则已是定局。尤其如今上海外滩的新姿，两座大桥，新拓岸台，露天剧场，喷泉巨雕……处处都更体现出其江城的动势与华彩；过去上海所最引为骄傲的，只是西岸高楼巨宇的剪影，而如今崛起的浦东，已用东方明珠等既具有前卫意蕴又体现着民族精神的超高建筑，勾勒着更加动人心魄的天际轮廓线，待那座不仅是上海第一、中国第一，甚至也是世界第一的摩天大楼耸起时，还有谁再好意思说浦东是"都市里的村庄"呢？

城市是人类文明的聚汇点与激发新活力的温床。城市文明应是多样的，而不应纳入一个哪怕是很不错的模式。"单岸"、"双岸"，"湖城"、"江城"，都应视为人类在地球上创造的璀璨明珠！

1996 年 1 月 15 日

城市望点

一个城市至少应该有一处可以远眺生趣的地方。市民们站在那个地方，能望见远处的某种特异景色，视觉上获得美感，心理上获得怡悦，我们无妨将那位置命名为城市望点。

比如在北京西北城，什刹海的后海与前海之间，那个狭窄相连的水域上，有一座桥，叫银锭桥，多少年来，站在那银锭桥上，扶栏朝西面望去，只要天晴，便可望见，泱泱湖水的尽头，露出青黛色的西山，那正是西山的天际轮廓线最优美的一段；在攘攘的市中心，忽有这样的一个望点，凡首次路过那里并凭栏望到西山的人，无不惊喜莫名；有许多人，一旦在那里望过一回，留下了鲜明印象后，无不尽可能地旧地重游，重温那一份闹市中的宁静与温馨。从明代以来，"银锭观山"便成为北京的一个特色景点，到清朝，更被正式列入"燕京十六景"之一。

北京的"银锭观山"，有人认为只是一种偶然构成的城市望点。我以为此说不妥。因为明成祖当年营造这座都城时，不仅注意实用性和单个建筑的美感，更有全局性的美学构想；"银锭观山"的取西山以滋市容的"借景"效果，多半还是有意为之的。从银锭桥西望，在逐渐如扇面般展开的湖面尽头，虽有一抹绿树，却绝无高耸的房宇塔阁，那远处的西山山影，倘有眺望线上的一座并不怎么太大的建筑，便可"一叶障目"，而使望点尽消，而当年北京建成后，在那眺望线上从无遮蔽物，可见还是有人在进行京城景观的总体把握，并非是糊里糊涂地得来了那么一个美妙的望点。法国的巴黎，也是端赖路易十四时经总体规划后，才呈现出了极富美学创意的旖旎风情；现代的巴黎市政建设中当然也有败笔，如 70 年代仿美式摩天楼建造的蒙巴拉斯大厦，严重破坏了巴黎市区天际轮廓线的柔和感，显得生硬突兀；不过，大体而言，整个巴黎的市政建设，还是有着相当出色的美学构想。1989 年，巴黎新市区建出了拉·德方斯大拱门，这座大拱门，实际上是由两座笔挺的摩天大楼，与将其连为一体的横向悬楼，组合而成；站在老巴黎的最重要的一条轴线的中点，凯旋门门洞的中心，便可遥望拉·德方斯大拱门，形成一个动人心魄的城市望点。凯旋门是古典主义建筑的经典之作，拉·德方斯则是被称为"通向二十一世纪的大门"，其建筑风格是反古典的，标新立异的，但是由于拉开了距离，两相远望，竟双双生辉，相得益彰。巴黎的这一新的城市望点的结撰，为人类创造新的人文景观提供了新思路，新经验。

上海有哪些城市望点？我不太清楚。听人说过，站在外北渡桥端的上海大厦顶层，天晴时，能够望见黄浦江入海口的壮丽景色。倘真如此，那当然便是一个绝佳的望点。

当然现在的上海已有更多的新大厦拔地而起，有的高度已远超上海大厦，在其顶层眺望黄浦江入海口，也许更加容易，但并不是只要能望见，便可构成一个望点，因为，从不同的角度望过去，涌向我们视觉的线条感是不同的，有时只要稍偏离一点，便韵味大减，甚至索然寡味，所以，倘上海大厦顶层确是上海的一个宝贵望点，那么一定要加以爱惜，其要义，便是务必要防止在那从上海大厦至黄浦江入海口的眺望线中间，蹿出有破坏性的建筑剪影！从事上海市政建筑总体美学把握时，恳请尊重这一呼吁！

在这里我要沉痛宣告，北京的"银锭观山"望点，已被粗暴破坏！不知是什么单位，在从银锭桥西望的眺望线上，以一座"现代化新楼"，严重遮蔽、破坏了那本是一目了然的西山剪影，犹如在明眸中生出一片阴翳，令人扼腕跌足，浩叹乃至欷歔！

作为一个城市居民，我们有享受城市从局部到整体的美感的权利，更有捍卫已有的城市共享美，包括多年来好不容易形成的城市望点，使其不受破坏的权利。这就尤其要求对城市景观的营造握有大大小小决定权的那些人，多些美学头脑，多些历史责任感，从总体设计到具体施工，慎之再慎，三思而行！

1996 年 1 月 16 日

镜墙与青藤

自 70 年代以来，世界建筑业的一大发展，体现于新型建筑材料的不断发明与大量使用，其中最引人瞩目的，便是所谓玻璃幕墙的出现。我 80 年代初到西方国家访问，乍看到他们城市中耸立的以玻璃幕墙覆盖整个立面的大厦，真是眼睛一亮，顿感人类的创造力，俨然直逮鬼斧神工。

玻璃幕墙的出现，使现代化城市的景观，从满眼钢筋水泥的定势下突破了出来。

它显得灵秀飘逸，化沉重为轻盈，以剔透掩杂芜，使城市的立面视觉效应，不再那么一味地"版画风格"，而具有了某种水彩画的神韵。

80 年代末至今，玻璃幕墙建筑不仅是引进了中国大陆，而且大有竞相攀比，"无楼不玻幕"的势头，不仅一些大型的公用建筑使用了玻璃幕墙，连一些矮小的店铺，也都采取了"玻璃门面"的装修策略，仿佛这样一来，便具有了"现代派"气势似的。

西方建筑当年使用玻璃幕墙，首先当然还是从材料、工艺上的创新，能取得更好的长线经济效益着眼的；不过，建筑师在进行设计时，他一定要有其美学上的追求。严格而言，一座大厦的玻璃幕墙，完成后也便是一面巨大的镜子，因此，也可以把这种墙面称作镜墙。鉴于此，设计者在构思镜墙建筑时，便不能只是孤立地考虑他所设计的那座楼本身，他一定要先将那座楼周遭的情况弄清楚，以便使其镜墙在反照周遭景观时，将最值得入镜的东西尽情收入，而将不堪入镜之物，尽可能地加以回避。这也就是说，设计者不仅应对一座楼的具体美学构想负责，也应对其加入城市总体景观的美学效果负责。

在美国波士顿，1975 年由著名的建筑艺术大师贝聿铭与亨利·柯布联手设计的约翰·汉考克大厦，整个造型极为强烈地体现出以往钢筋水泥外观所难表达的抽象意韵，在当时是令人眼目为之一震的创新之作；而其最令人心醉神迷的一点，是它在设计时就有意地考虑到，要以其镜墙，为汉考克大厦一侧的古典建筑，即 1877 年由亨利·霍布森·理查森所设计的"三一"教堂，"留下倩影"；结果，由于新型建筑材料的优异与施工工艺水平的超绝，那镜墙果然不折不扣地将"三一"教堂的哥特式彩影反映了出来，获得"对影成三景"的诡奇效果。这座汉考克大厦可谓镜墙大厦的经典之作。

我国近年来所耸起的玻璃幕墙建筑，也颇有些成功之作。如北京大北窑的国际贸易中心，上海的解放日报和文汇报新楼等等。主要的优点是剪影线条简洁和谐，镜墙的工艺水平从远视上还算相当地"帅气"。缺点是尚缺乏镜墙反射的"借景效果"方面的考虑。

西方的新建筑目前已冷淡了玻璃幕墙的使用，我们这边却还在升温繁孳。当然，玻璃幕墙作为一项实用科技文明，属于人类共享文明，我们中国人取之为我所用，当然不一定要随西方人的冷热而炎凉；问题是，已不断有内行人士指出，并不是任何一种玻璃都可充任镜墙材料，我们现在有不少建筑物所使用的此类材料都是不合格的，潜伏着极大的危机，如膨胀系数不合理的问题，钢性不足而脆弱的问题，平整度不够而在组合应力上不和谐的问题，等等，搞不好，有的楼面会"破镜而不重圆"，实堪忧虑。而且，即使是一些用料、施工都还不错的这种建筑，由于是"为镜墙而镜墙"，设计时根本没有考虑那镜墙究竟想映照什么，结果，往往是反射出一些杂乱陈旧，而又很长时间内无法改造的"破景"，把不该向人们昭示的东西触目惊心地呈现了出来，其在城市总体景观中，实在是起着"添乱"的作用。这样的一些问题，都亟需有关方面正视、研究，加以避免。

其实，使建筑物墙面不至单调，除了从设计上增添装饰性构件，以及使用新型建筑材料外，对较矮的建筑物来说，以攀缘类植物与墙面亲和，营造出一种特异的韵味，是中外自古都有的美化手段，这种青藤式立面造型，并不因人类有了镜墙之类的非自然美学效应的使用而过时，在英美等国家，很多历史较为悠久的大学，都有"常青藤学院"之称，那些校园内的建筑——也不仅是前辈遗留下来的古典建筑，包括近一二十年以新的美学创意设计的某些新建筑，只要不是摩天大厦，也有不少用青藤加以装饰的，并且看得出，设计者在一进入设计时，已将青藤这一因素考虑了进去。我国毕竟还是一个发展中的国家，投资巨大的摩天大厦的营建不可过分，应适可而止；一般公用或民用的较矮建筑，也不必要在装饰性构件上花费过多投资，因此，青藤式装饰仍不失为一举数得的美学追求。

1996 年 1 月 17 日

窗含与门泊

"窗含西岭千秋雪，门泊东吴万里船"，杜工部的这两句诗，把中国传统建筑对窗门的美学追求，给了一个非常中肯的概括。的确，在中国传统建筑中，窗户绝不仅仅是为了透光和透气，一个好的窗户，应当是一个好的画框，也就是说，室主在室中面朝窗户时，他的首要感受，应当是觉得看见了一幅优美的图画。"画栋朝飞南浦云，珠帘暮卷西山雨"，这是写意画；"榆柳萧疏楼阁闲，明月直见嵩山雪"，这是工笔画。因为把窗景当成画，所以"画框"便有非常丰富的变化，这在中国园林建筑中体现得尤其鲜明。中国古典园林的墙廊上，往往开发出一个接一个形状不同的廊窗，或仙桃葫芦，或石榴蝙蝠，或扇形瓶形，或连环方胜，"画框"本身极富装饰趣味，然而更重要的是让廊中漫游者移步换景，也便是犹如在一个画廊里赏画。再进一步探究，我们便发现在中国古典建筑中窗不仅是"画"，也是诗："梦觉隔窗残月尽，五更春鸟满山啼"；又是音乐："深秋帘幕千家雨，落日楼台一笛风"；乃至"天籁"的笛孔："今夜偏知春气暖，虫声新透绿窗纱"……

在我们当前推进现代化的过程中，各种建筑真如雨后春笋般拔地而起；一般的工业、民用建筑不好苛求，但对某些本身应构成一道风景的建筑，我们便不能不对其美学上的追求有所评议。在吸收中国古典建筑的优秀传统，发扬其对"使窗如画"的追求上做得成功的例子，在北京我觉得起码有两处，一处是由美国建筑大师贝聿铭设计的香山饭店，凡去过那饭店的人都不难感受到，那里几乎每一间客房，都至少有一扇窗户，与香山一隅的景色构成着一幅生动的图画；这当然并非偶然，而是贝聿铭一进入设计构思时，便非常注重的一项美学追求。另一处是长安街上的贵宾楼饭店，这家五星级饭店的外表似无甚特色，但其内部的公众共享空间多有新颖创意，其二楼咖啡厅有意将向南的一面完全装成落地大玻窗，使明清以来便存在的一堵皇城的红墙，恰好落入顾客视野，我以为这是将中国古典建筑那"以窗为画"的美学原则的活用，而又融入了西洋美术的某种抽象的装饰趣味，其设计上因地制宜的巧思，似更在香山饭店诸窗之上。

中国古典建筑对门的美学追求，往往将气派置于首位。但也不是单指门体本身的形态质地，也是与周遭的环境，特别是自然环境放在一起来考虑的。本文开首所引的老杜名句，便体现出这一意蕴。"开门见山"在中国是一句家喻户晓的具有褒义的成语。所谓"一水护田将绿绕，两山排闼送青来"，是农业中国最佳的建筑环境。倘能"楼观沧海日，门对浙江潮"，那就更可居而自傲了。但工业化浪潮使得绝大多数现代城市的建筑物大门失却了"泊船"、"见山"的可能性，它倒很可能是"门泊洋洋百辆车"或"两街排闼送灰来"，这可怎么办呢？近代的西洋建筑，凡讲究一点的，往往采取抬高大门础基，以回旋坡道与前伸的风雨廊，来缓解城市空间日见局促所带来的焦虑感，并与或许并不太宽阔的前庭，形成一种既有所区分又颇为亲和的关系。目前中国大型建筑在门的处理上也多往此种西式风格上靠拢。不过，其实中国古典建筑处理门的美学追求仍不失为一种可以借鉴的方式。比如广州的花园酒店，初建时基本上是"全盘西化"的，营业初期据说收益不如所期，于是有看"风水"的高手建议其在"虎口"状拱门的几十米外筑一弧状花台，以"拦住虎吐"；后果然筑起了弧形花台，上面密置大盆棕榈，据说效益从此便大为好转。我不懂"风水",不敢率议。但依我想来,这样补救酒店的"门景",遮蔽了车水马龙的喧嚣街市,其实很符合"开门见绿"的中国古典建筑的美学追求,也许因此也就增进了出入其中的顾客的好感,成为其效益提高的原因。

愿我们的城市新建筑,能在一进入设计时,便能在窗门的把握上,不仅重视其功能性,也重视其美学意蕴。我们中国古典建筑在这方面的丰厚遗产,实在是大可借鉴活用的啊!

1996 年 4 月 15 日

水自天来眼波横

城市景观中不可无水。即使不傍河海,亦无湖泊,或虽有河湖,但某些大的建筑物与公众共享空间却离那些自然水域颇远,那么,以人工力量来营造小规模的水景,便成为必要的了。

十多年前我头一回去法国,在巴黎铁塔前面和凡尔赛宫花园看到人工喷泉浩然喷发的情景,十分激动,回来后曾撰《凡尔赛喷泉》一文,慨叹中国城市里缺乏喷泉的设置,并初步意会到,中国古典建筑的庭院乃至园林的布局中极少喷泉的设置,是由中国与西洋不同的文化心理所决定的。现在想来,确实如此。在中国人的心目中,"黄河之水天上来,奔流到海不复回"不仅是诗,也是理。中国的地势总体而言是朝东倾斜,因此在经济、文化一贯比较发达的东部地区,人们认为水的存在常态一是"泻",一是"平",而中国文化中影响最大的儒家文化与道家文化都强调顺应事理天意,故而在中国古代的诗词曲赋中,存在着大量咏赞瀑布与平湖的文句,以水的自然泻落与若镜映物为美:"日照香炉生紫烟……疑是银河落九天","庐山秀出南斗旁……

影落明湖青黛光",等等。"水是眼波横,山是眉峰聚",此为大景;"满园深浅色,照在绿波中",这是小景。总之绝少歌咏赞叹水的上喷蹿跳。

以北京为例,紫禁城那么堂皇富丽的庞大建筑群,景点繁多,花样迭出,可是却无一处喷泉。而在西洋哪怕是规模要小许多倍的皇宫里,也总会有不止一处的喷泉设置。此非不能也,而是不爱也。我们都知道乾隆在位时,宫中的西洋供奉曾为他在圆明园中设计过有"大水法"的西洋楼景点,李翰祥拍《火烧圆明园》时还搭出了大堂的布景,展示那一喷泉齐溅的景观。但其实我们并不能找到自乾隆到慈禧特别喜欢那喷泉的文献资料,圆明园的"大水法"只不过是中国统治者偶尔容忍一点西洋"淫巧奇技"的小例子罢了,喷泉始终未能进入中国园景文化的主流;"英法联军"放火焚毁了圆明园后,"大水法"那样规模的喷泉可以说便绝迹于中国了。

没有喷泉的中国园林,顺应"水往低处流"的自然属性,却也创造出了种种至美的佳境,《红楼梦》所描写的大观园,以沁芳闸为核心的水景布局,基本上概括出了中国人对水的审美心态。

但近十几年随着改革开放的推进,城市人造景观中对人工喷泉的营造成了越来越热门的事情。以北京而论,虽未必有昔日圆明园那么集中、复杂的喷泉组出现,但节日期间天安门广场的临时喷泉,北京游乐园的"水幕电影",一些公众共享空间里的音乐喷泉,以及各大饭店宾馆内外的大大小小的形态各异的喷泉,已然构成了一派新的"城中景"。十多年前,我从法国归来后曾大声呼吁引进喷泉,我以为喷泉不仅润泽着城市空气,可以与现代化的建筑物整合为一种美妙的景观,而且,那种偏"逆水性而嬉弄之"的浪漫情怀,能以激发出我们一种昂扬的创新精神;现在我的诉求可以说已经获得了满足,为此我感到欣悦。

　　不过我现在的心情又与十多年前有所不同。当设置喷泉在当今的城市景观中已成为滥套时，我倒要回过头来，强调一下我们民族审美传统的继承问题。我感觉，目下一些建筑物内外的喷泉，有一种赶时髦，甚至是盲目"西化"的倾向，或者是"为喷泉而喷泉"，全然道不出之所以那样"嬉水"的美学动机。其实，如果建筑物整体是民族风的，那么，在以水布景时，无妨仍取中国古典式的"泻"与"平"的造境法，比如北京王府饭店，这是一座有中国古典式大屋顶和门前有中式牌坊的豪华建筑，它的前堂，使用了很大的水量来造势，不是用以构成喷泉，而是用以构成瀑布，这就不仅赏心悦目，而且与其整体的建筑风格相吻合，是一个成功的"返璞归真"的例子。其实即使是西洋人以洋美学追求为主体的设计，有时也很会从中国古典美学中汲取精华，取得"出奇制胜"的效果，如上海波特曼商厦那宏阔的公众共享空间中对水的运用，就主要不是使其上扬，而是用沿着墙面流泻与营造出大面积水池，很有点"水自天来眼波横"的意趣。

　　在美国，俄勒冈州波特兰市公众共享空间中水域的配置，曾在全美乃至西方名噪一时，其实那主要是摆脱了一律喷泉的模式，大量采用了"水自天来"的人造瀑布与"水波漾漾"的人造浅池，用一种"东方（很大程度上是中国的）园林美学"来调剂了其过分反自然的城市建筑景观。当然，波特兰市在人工配置水景时，强调了"应当有用手可以接触到的水"的原则，不仅允许，而且有意营造出一些路人可以用手承接的水帘与可以伸手搅动的浅水，这一富于人情味的美学创意，是很值得我们借鉴的。

1996 年 4 月 17 日

要理趣，不要图解

我国城市大型建筑的设计，在美学追求上我是不赞成摒弃理性，走某些西方设计师的那种非理性路数的。依我的眼光看去，西方标新立异的新建筑，也是能"讲出个道道"的要顺眼一些；倘"全然没有道理"，虽激赏者在旁啧啧赞叹，我也还是不能共鸣。比如法国巴黎的蓬皮杜文化中心，它仿佛是一个没有皮肤，裸露着全部筋腱血管神经的活体，乍一入眼真是吓人一跳；然而它的美学前提中依然有着理性，似乎在昭示着我们：功能性本身，便是一种美；与其矫情地包装，莫如坦然地直露。我能接受蓬皮杜文化中心。可是我在美国却看到过一栋据说投资不菲的建筑物，设计者自称其灵感源于他的一个梦，那便是完全"不讲道理"的非理性"杰作"；我实在不能欣赏，而且怀疑它的功能性是否得以充分实现。

在建筑设计的美学旨意中体现出理性是必要的，但搞不好弄成了图解主题，那也不好。比如50年代建于郑州市中心的"二七纪念塔"，它用两个塔体图解"二"，用每塔七层来表示"七"。这是很笨拙的构思。"二七"大罢工作为中国产业工人群体力量的一次动人心魄的大展示，本是可以激发出丰富创作灵感的，无论是从中国古典浮屠或西洋方尖碑上，都可以找到许多可借鉴的素材，"二"和"七"这两个数字并不能说明什么问题，七层双塔的设计实在是胶柱鼓瑟。再如80年代北京公主坟的城乡贸易中心，用一个竖高的楼体图解"城（工）"，再用一个较矮而宽的连体楼图解"乡（农）"，再用一个将二者环围的裙楼，图解"城市（工人）老大哥和乡村（农民）亲兄弟组成了牢不可破的联盟"。这样的构思实在生硬。结果是经常有外地朋友问我："你们公主坟那边的庞然大物是个什么建筑？怎么那么难看？"我去年在某城看到了一栋新落成的市府建筑：用一个圆柱形的楼体表示"一个中心"，然后两翼展开表示"两个基本点"，左右前廊则有四根跳眼的圆柱，那是表示"四项基本原则"……

图解到了这般地步，让人怎么评说好呢？

我们的城市建筑设计的确应当努力体现出时代精神，确实应当富于健全的理性并尽可能使大多数市民喜闻乐见，特别是公众共享的大型建筑，在设计构思中应当有一个"主题"，但那不应是刻板的图解，更不应是冷冰冰的"说教"。我们的设计师们应当从我们自己民族优秀的传统建筑语言的承传中，从外民族的优秀建筑语言的借鉴中，升华出富有独创性的"建筑诗句"来。中国古典美学很讲究所谓的"理趣"。中国古诗，如"沉舟侧畔千帆过，病树前头万木春"；中国古画，如郑板桥的墨竹图；中国古曲，如《十面埋伏》；中国戏曲，如《除三害》……都是在极精美的形式中，蕴涵着强烈的"理趣"。中国的传统建筑更是如此，比如北京的天坛，其总体布局与每一建筑本身，无不关合着"天道"，却也并非在那里生硬图解，而是给观赏者留下了非常宏阔的想象余地，蕴涵着丰沛的内在美张力，可以说是古建筑中最具"理趣"的典范。

"饰貌以强类者失形，调辞以务似者失情"（汉朝王充语），"假象过大，则与类相远"（晋朝挚虞语），"象其物宜，则理贵侧附"（南朝梁刘勰语）……这些中华民族的传统美学思想，至今对我们的建筑设计师仍是一笔宝贵的精神财富，特别是刘勰的这句话，一方面他认为值得去体现某种本质，可是另一方面他又谆谆告诫我们，不要直露地图解，而应当发挥艺术想象力，用"侧附"（别辟蹊径）的办法，营造出理趣来。

1959年北京在很短的时间里，便设计建造出了"十大建筑"，那时意识形态对设计者的构思不消说是起着统帅作用的，但也并没有因为要鲜明地体现"主题"，便一律生硬板涩，其中有的作品，比如民族文化宫，我以为便不失为一个摆脱了肤浅的图解思路，而在生动活泼的构想中达于理趣境界的佳作，过了三十六七年再来欣赏，仍不觉得它落后。它的最大优点，还并不在比如说其中央高耸的亭子顶塔楼，你可意会为"中华民族一定要自立于世界民族之林"什么的，而是它难得地在楼体、楼体与楼前空间、楼体的功能性构件与装饰性部件之间、各部位线条与色彩的处理等各个方面，基本上整合为了一个可称之为"大和谐"的旋律。80 年代以降，北京富于理趣的优秀建筑设计例子更多，比如中国国际贸易中心，那基本上是一组现代派的建筑，在建筑物的外貌上你找不出任何关合于"中国"、"国际"、"贸易"等的符码，然而它几个高矮不同的楼体上的巨大弧线，以及所采取的大面积浅褐色玻璃墙面，在北京固有的天宇下书写出的建筑文句，引逗出了北京市民特别是年轻一代想象外部世界的"意识流"，这效果就难能可贵。

1996 年 4 月 16 日

祈年殿的启示

北京最具代表性的建筑有三，一是八达岭长城，一是天安门，一是天坛祈年殿。长城实际上是整个中华古文明的象征，天安门的政治意义巨大，而天坛祈年殿则是中华传统文化之美的集中体现。70 年代初在打开中美交往之门过程中有着特殊贡献的美国前国务卿基辛格曾回忆到，他那时头一回到天坛参观，当祈年殿映入他的眼帘时，他简直惊呆了，以至很久都无法用语言来形容那种美感对他心灵的冲击。这其实也是无数西方人首见祈年殿时的共同感受。我们自己则可能是不管有否直面祈年殿的机会，因为从小就会接触到这个建筑的图像，所以反倒"久在芝兰之室，不闻其香"了。

祈年殿实在是至美的建筑，它不仅是中华文明的骄傲，也是整个人类傲对宇宙的顶尖级文明瑰宝之一。

这样的声音越来越响亮：像北京天坛祈年殿这类的建筑，特别是由这种建筑所组成的建筑群，随着岁月的推移，不可避免要进行维修整建，那应当以"幡然复旧"为其原则，万不可任意将其增删改动。

对于上面这个观点，我基本上是赞同的。不过我以为倘过分地强调这一点，以至于弄得在保护、修复古典建筑时一味地战战兢兢，使当代建筑师的想象力与创造性不是受到合理的限制，而是成为了一种古板苛酷的束缚，那就会弄成胶柱鼓瑟，不利于人类文明的良性推进。

我们都知道，直到 50 年代初期，天安门广场都还不是现在这个样子，后来拆除了东西两侧与南面相当不小的单层门座与围墙，才使它的面积大大地得以展拓，直到成为世界上最大的一个城市广场。这样的改动与变化，应当说适应了时代的潮流，并且在美学上也具有了新的内涵。

祈年殿呢？许多人大概并不清楚，现在我们所激赏的这座祈年殿，其实已并非多么古老的建筑，严格计算起来，它到今年只不过才 100 年的"殿龄"。

整个北京天坛的"坛龄"，那是有 576 年了。天坛始建于明永乐十八年，即 1420 年，最早称天地坛，最早祈年殿叫大祀殿，那时既然祭天与祭地尚未分开，根据"天圆地方"的古训，该建筑想必是上圆下方的；到嘉靖二十四年（1545 年）改建为大享殿，是座镏金宝顶三层檐攒尖顶的建筑，其形态与现在人们所见差别甚明；据记载当时其三层檐瓦是上层为蓝色，中层为黄色，下层为绿色。这建筑直到清朝乾隆十六年（1751 年）时才改称祈年殿，并于次年将三层檐瓦一律统改为蓝色。1889 年，即光绪十五年，此殿遭雷击焚毁，次年再一次改建，历时七年方竣工，这才是世人现在所见到并发出一致赞叹的祈年殿。我们所特别要感谢的，应是那最后负责设计这座殿堂的工程师，他在复建这座殿堂时既"尊古"，而又并不"泥古"，使我们百年来得以有这美轮美奂的眼福与心灵悸动。

天坛祈年殿所创造出的视觉奇迹，给予了我们有益的启示：在营造城市景观时，不仅建造新的建筑有可能给城市增添活力，在修复、利用古迹时，也一样有可能使当代建筑设计师以他们充满创造性的想象与整合的魄力，来给传统建筑锦上添花。

前些年法国巴黎在扩建罗浮宫地下展室时，也有过激烈的争论：像这种已然以其固有形象载入了史册的建筑群，还允不允许在其中发挥建筑设计师的奇思妙想？当美国建筑艺术大师贝聿铭拿出了他那在罗浮宫中心庭院里，凸现出一个全然属于现代派手法的"金字塔玻璃顶"的设计方案时，有些人几乎气晕倒地，认为那绝对是"佛头着粪"，"天理不容"；然而当那备受诟病的"金字塔"终于建成之后，越来越多的世人都觉得那东西不但并未破坏罗浮宫的总体美感，反而给那古老的建筑群注入了一股勃勃生气，就连原来反对最烈的那部分人里头，也很有些人转变了看法。

当然，修整传统古典建筑，特别是已成为人类文明经典的那些代表作，"恢复原貌"应是第一原则，在增删、调整、发挥上一定要慎之再慎，不过，倘有设计高手真的拿出了类似重建祈年殿时改为现形态的方案，尤其是作出了将三层檐瓦统一为蓝色的决策，我们便应勇于站出来支持！我们无妨"退回去"想象一下，天坛祈年殿的檐瓦倘若至今仍是上蓝中黄下绿，我们还会不会觉得它是那样地完美无憾？

上海虽然大体上是一个新兴的城市，但历经百年后有些建筑也渐入古迹行列，包括整个外滩建筑群。我以为近年来外滩建筑群的修整，特别是堤岸的展拓，包括原外滩公园的彻底改造，都是既尊重历史原貌，又体现出因时代发展而制宜的变通精神，总体而言是成功的。不过随着浦东建筑群的崛起，浦西固有的天际轮廓线所形成的传统美感正遭受到严重的挑战，二者如何在互动中整合为一种新的上海之美，看来已构成了一个很大的课题。解决好这个课题，北京天坛祈年殿的启示，也还是意味深长的吧!

1996 年 8 月 7 日

前门箭楼传奇

1996 年是我国建筑界泰斗梁思成先生诞生 95 周年，1997 年又逢其谢世 25 周年，故这两年纪念他的文字不少，这些文章里，几乎无一例外地都提及他关于保存北京城墙与城门的建议终被否定弃置的遭际；未及他撒手人寰，北京的城墙与城门除少数幸存的残段与孤门外，已被尽悉拆除，实在令人扼腕歔歔。由此人们又进一步生发出关于城市改造中如何尽量保护体现地域文化的古旧建筑的讨论，冯骥才就特别关注这一问题，并在天津的城市发展过程中参与了不少具体而微的"护旧"工作。

我 1950 年定居北京，是北京城墙与城门近乎"全军覆灭"的见证人，对此我也是痛心疾首的。但痛定之后，冷静思考，也就悟到，一座大城，在历史的进程中一味地想维护古风古貌，实在是很难很难的。

北京的城墙与城门，其实早在辛亥革命之后，就被动过一次"手术"。那便是前门（正阳门）及周遭城墙街区的改造。那改造的最主要的缘由，是其旧有的格局不仅完全不能适应新时代的交通需求，而且严重地妨碍了彼时人流与车流的通畅。我们都知道，当时北京火车站建在前门的东南侧，如今遗迹仍存（拱形顶的室内车站现改造为铁路工人俱乐部），这样前门一带便必须提供疏阔畅达的公众空间，以使从轿子骡车转换到蒸汽火车时代的人际交流，在数量与速度上都能得到充分的保证。

改造前的正阳门，在正门与箭楼之间，有封闭性的瓮城，巨大而富有神秘感的瓮城的设置，本是刻意要使进城的过程变得艰难而曲折，当然皇帝本人穿行时会成为一种例外，那时位于中轴线的所有门洞中那些布满巨大门钉的沉重门扇都会彻底敞开，但一般官绅平民出入这座界定内外城的大门时，麻烦就多了，即使恩准出入，也必得绕瓮城从侧面穿数个门洞迂缓而行；至于敌人，那瓮城与护城河的配置，特别是箭楼的巍然屹立，都是"固若金汤"这个成语的物质性体现，是"挡你没商量"的。世纪初对正阳门的改造，其最主要的"手术"便是拆除了瓮城。瓮城一拆，正阳门的门楼便与其南面的箭楼分离开来，各成一景了。这景象一直延续到今天。

从瓮城上剥离下来的北京前门箭楼，一个世纪以来已成为了北京的三大代表性徽号之一（另两个是天安门城楼和天坛祈年殿），由于有一种跨越几个历史时期而至今依然存在的香烟牌子"大前门"，那烟盒上总是印着它的雄姿，所以前门箭楼的形象传播可说已十分地深入了人心。

我们现在所看到的前门箭楼，其主体结构，是否是明正统四年（1439 年）初建时的风貌？答案是否定的。这箭楼在乾隆和道光时代都曾因火毁而重建。1900 年八国联军入侵时，又一次毁于大火。清王室再次重建时，那建筑师并没有按原样来设计这座箭楼，幸好位于城西北的德胜门也还存有一个箭楼至今，我们可以两相比较，据载，1900 年毁于大火的前门箭楼，与德胜门箭楼是基本相同的，但现在我们所看到的前门箭楼，它的体量在改建时被增大了，齐平台处宽 50 米，最大进深 24 米，通高 38 米，建筑构件的强度与数量均有增加，是二重檐、歇山顶样式，北面凸出抱厦五间，东、西、南及两檐间开箭窗 82 洞。另外，其墙基的倾斜度大增，就视觉效果而言，更显得雍容儒雅。

这重建的前门箭楼好不好看？说不好看的，大约不多。拆除瓮城后面貌稳定下来，并在"大前门"烟盒上被世俗所熟知的这座箭楼，其实与清光绪年间火毁后重建的那形象，又有了变化，其一，是登楼的梯道，改成了"之"字形，并且台阶间有数层平台；其二，是梯道与城楼上的大平台周遭，增加了汉白玉栏杆；其三，是其下面两层箭窗上，增加了拱弧形护檐；其四，是在楼基的斜壁（月墙断面）上，增加了巨大的水泥浮雕。这些装饰性构件，不仅在影视照相中十分显眼，即使在用线条表达的烟盒画上，也凸现为其不可删却的细节。因此我们必须注意到，光绪年间前门箭楼的重建，并非"恢复都门旧貌"，而民初拆除瓮城后改装的箭楼，更是改变了容颜。

对这改变了容颜的前门箭楼，从审美心理上予以排拒，尤其是以"未能保持古貌"的理由而加以排拒的，从那时到如今，究竟有几多人？恐怕其人数，是本来就未必多，而随着时间的增加，更以反比例而锐减吧！

民初的那次改建，具体而言，是 1916 年，当时的北洋政府，请了德国建筑师罗斯凯格尔（Rothkegel）来主持的，前门箭楼以上所述的四大装饰性配置，全是他的设计，特别是楼基侧壁上的巨大浮雕，真亏他苦运"匠心"，以至当我把这一点向一位看熟了前门箭楼的朋友指出后，他大吃一惊说："怎么，那不是原来就有的，竟是一位洋人生给加添上去的？"可是他迟疑了一下也就表了态："唔，看上去倒也天衣无缝……看惯了，抠下去也许倒会觉得不对劲了……"那浮雕其实说不清究竟像个什么，只是其配置于其位，使中国古典风韵中，糅进了一些西洋的趣味，既与附近的西洋式火车站有了一种必要的视觉与情调的呼应，又制衡了因拆除瓮城后楼体本身的单调感，增强了稳定效应。

古建筑作为文物弥足珍贵，尽量地加以保存，必要时投资修复，已成为绝大多数人的共识，但在公众生活方式及审美趣味不断发生巨大变革的历史进程中，某些古建筑也未必不能拆除，而修复重建时也未必不可以加以变通性更动，我在《祈年殿的启示》一文中，已表达过这一见解。但天坛祈年殿当年的改建，还并不牵扯到公众共享空间的配置，而随着世道的昌明、文明的推进，古旧建筑群如何在城市发展中适应公众共享空间的展拓，越来越成为一道难解的方程式。在梁思成先生出生前后直至他的少年时代，前门箭楼的改头换面、瓮城的拆除，以及前门箭楼楼基侧壁上巨型浮雕装饰件的出现，提供了前人的一次经验，激励着我们超越"旧物勿动"、"整旧如旧"的简单化思路，去探索开辟出一条既尊重文明史的"旧链环"，又大胆创造"新环节"的蹊径来！

1997 年 8 月 25 日

摩天之志费思量

到了吉隆坡，我便急着要去看佩特罗纳斯双峰大厦，那是因为我对城市艺术建筑葆有浓酽的兴趣。数年前，我在美国登上过世界按高度排名占头三位的摩天大楼，即芝加哥的西尔斯大厦（高 443.5 米）、纽约的世界贸易中心（双方塔，高 419.2 米）和纽约帝国大厦（高 381.3 米）。美国是摩天大楼的始作俑者。摩天大楼是城市经济和都会文化发展到旺盛阶段的产物。从表面上分析，可以归纳出许多建造它的目的，如地价的蹿升、财团经济对庞大的集中办公空间的需求、新兴建筑工艺与建筑材料对市场的诱惑、长线投资所能获取的丰厚利润，等等；然而，那"群体无意识"底蕴，其实包含着万丈红尘中的都会市民展示跃升心态的迫切诉求，正所谓虽"命比纸薄"，却偏"心比天高"。有社会学家做过很有趣的抽样调查，询问市民对本城高层建筑的印象，其中大多数人虽然本身的生活与那些建筑并无关系，甚至根本就没能进去过，可是他们还是觉得那些建筑，特别是其中数一数二的摩天楼，赋予了他们一种自豪感，有的来自乡间或小城镇的民工女佣，他们往家乡寄信时，不仅往往要在信中提及那摩天楼，甚至还要附上以那摩天楼为背景的照片。第三世界穷国到西方经济强国留学的学生，也往往爱给国内家人寄背景上有摩天楼的照片，头一年尤其如此。厌恶摩天楼的，倒往往是一些大都会中富裕的智识阶层人物。

摩天楼在艺术趣味上不仅是违自然的，而且是反自然，乃至于挑逗、亵渎自然的。建于1931年的纽约帝国大厦，高耸的尖顶还多少保持着一种古典的风韵。我记得它最高的观览处，尚有露天的回廊，虽然为了游客的安全，那密实苗厚的护墙大体齐胸，终究还给你一种与自然天宇亲和的感觉。分别建于1974年与1977年的芝加哥西尔斯大厦和纽约世界贸易中心则一扫古典气息，是所谓"彻底的现代派"，比如位于纽约曼哈顿岛尖上的世界贸易中心，设计成两个高耸的长方形"盒子"，在视觉上给你一种强迫性的突兀感。西方古典建筑中也有高耸的庞然大物，如德国科隆大教堂，但那些建筑多半都具有宗教性质，其锐耸接天的塔形尖顶不仅绝无狂妄"摩天"的轻亵意味，而且同东方佛塔造型一样，倒是竭力地想体现出一种对天庭的敬畏与臣服。纽约世界贸易中心可不一样，我记得登至它最高的观览厅，它那天花板下，爽性裸露着横切面约有一米以上的若干组大弹簧，那是用来维系楼体在风中的稳定性的，据说像那样高的摩天楼，其顶部在常态风中的摆动度也差不多是左右十米的样子；因此，人们在参观时，那顶部用以制衡的弹簧便在不间断地嗡嗡颤抖发响；我本来就属于有"恐高症"的人，在那弹簧下面更不禁发怵。但我理解，那是设计者为体现"我自摩云朝天笑"的气概而特意安排的节目。这样的摩天楼，确实不仅炫耀着市场经济高度发展后，投资规模可以何等地财大气粗，也似乎在昭示宇宙，人类在科学技术、工艺水平、施工规模，特别是超自然约束的想象力驰骋方面，已具有了怎样的可能与气魄。

摩天楼兴起于美国,截止于我写这篇文章之时,世界上已建成投用的摩天大楼(不算电视发射塔),按高度算,前十名里美国还是占有着八座,其余两座都在香港,一座排第四为香港中环大厦,另一座排第五为香港中国银行大厦。第二次世界大战后,欧州大城市如巴黎、法兰克福等都一度效法美国,盖起了一些现代派的水泥盒与玻璃盒的摩天大楼,但他们似乎很快就意识到,那种暴发式地展示"经济奇迹"的摩天楼,不仅是反自然的,也是与他们固有的优秀文化传统难以和谐的,因此并非是不具备从高度上超过美国而"雄起"的能力,而是自觉地放弃了一味求高、盲目"摩天"的追求,试图别辟蹊径,来营造自己的都会奇观,像比利时布鲁塞尔的"原子球"、巴黎的蓬皮杜文化中心,就都是不求"摩天"而"巧夺天工"的创新之作。后来建造摩天楼的风气传到了日本,可惜日本是个地震频仍的岛国,条件所限,不得不收敛了争"第一高度"的野心。再后来,则是经济相继起飞的国家,勃动起建造摩天大厦的强烈欲望。

马来西亚吉隆坡的佩特罗纳斯双峰摩天大厦,由其国家石油公司投资,楼高88层,高453米,两座"峰"在底座往上约三分之一高度处,以一座横K形桥廊相通。我从远、近几种不同的角度仔细地观看了它,这座已在今年二月封顶的摩天楼正紧张地进行着内外装修。它的外装修已接近于最后完成。它的外形设计,打破了美国与香港的那些原来排在头十名的摩天楼的超自然与反传统的风格,虽然它的高度现在超过了它们而暂居世界首位,望去却并不"狂妄自大",其笋形的轮廓倒显得颇为轻盈、谦和,并且糅进了某些伊斯兰的风格(马来西亚多数的国民是马来人,虔诚地信奉伊斯兰教)。虽未最后竣工,但圆锥形的楼体那钛银色外壳显得非常规整、光润,显示出其工艺的精致。佩特罗纳斯双峰摩天大厦不消说已成为大马,特别是吉隆坡的标志性建筑,也将成为当地最新的旅游名胜,而且也引出了大马国民和吉隆坡市民的一份自豪。但也有不以为然的意见，比如一位当地的富裕人士便对我说：吉隆坡现在的交通状况已然堪忧，每天几乎有一半的时间，主要干线上总是堵车难行，这双峰大厦落成后，据说其楼内车库便可停放五百辆汽车，陡增了这许多的车位，楼外马路却一时不见相应扩充，启用后岂不造成更严重的"塞车死结"？他认为这样的建筑不过是经济起飞后"群体虚荣心"的表征。

哄传许久的高达 457 米的重庆摩天大厦，据有的报导，是"黄"了，从而无法夺去吉隆坡摩天大厦的霸主地位，而即将动工的上海浦东经贸大厦，原来我听说拟高 421 米，现在传来的信息是要达到 460 米，那显然是为了满足"老子天下第一"的欲望，然而台湾高雄正筹建亚洲企业中心，原定高 431 米，会不会爽性再高它一截，"不占第一誓不休"呢？其实，美国建筑学设计师勒梅热勒早在 80 年代就设计并制出了高达半英里（约 800 米以上）的"埃厄沃恩中心"模型，那是只要投资到位，从科技、工艺上完全可以达到的并非幻想型的大厦，然而即使是财大气粗、顽童心态的美国人，在诉诸实践前也不禁自问：如此膨胀的"摩天"之志，其哲学上、美学上的意义究竟何在？更何况把摩天大厦的游戏玩大了，不仅会大大地影响大自然的原有生态（首先会影响其地区的光照、气旋，破坏原有气候），而且也会极大地影响人们的社会人文生态（一座摩天大厦等于一个巨大的"蜂巢"，即使仅是工作时间"蜂集"，那如"蜂"的人们也难免会派生出诸多行为学、心理学上的复杂问题），所以"埃厄沃恩中心"至今在美国依然是一座三十多米的巨大模型。

我并不一概反对摩天大厦的建造，但我对一味在高度上攀比、"不达第一誓不休"的心态，很不以为然。与其在高度上争第一，莫若在美学创意上多下工夫！

1996 年 8 月 5 日

净墙壁画两相宜

我曾写过一篇《净墙》，从政治社会角度，议论城市建筑墙面的遭际。在"文革"中，几乎凡能贴"大字报"和大标语的墙面，都被覆盖污染了，以至在那氛围中度过童年的诗人梁小斌，于"文革"结束不久的1980年，动情地写出了这样的诗句："妈妈，/我看见了雪白的墙。/……这上面曾经那么肮脏，/写有很多粗暴的字。/妈妈，你也哭过，/就为那些辱骂的缘故……/比我喝的牛奶还要洁白、/还要洁白的墙，/一直闪现在我的梦中，/……我爱洁白的墙。/永远也不会在这墙上乱画，/不会的，/像妈妈一样温和的晴空啊，你听到了吗？……"这种对净墙的向往和热爱，是大多数人共通的情怀。但"墙欲净而风不止"，政治风暴过去，商业熏风疾来，在我们城市建筑物的墙面上，开始出现越来越多的商业广告，以至严格意义上的净墙，特别是"比牛奶还要洁白"的无广告污染的"雪白的墙"，又开始稀少起来，我不知梁小斌可有新的诗兴，来再一次向"温和的晴空"呼唤明净？

城市建筑的墙面，抛开政治社会的角度，单从形式美的方面考察，其实，素净可能构成一种美感，而斑斓亦可能构成另一种美感；素净好比宁静无声，自有安谧的情调宜人，而斑斓则仿佛交响乐轰鸣，别有令人感奋的情愫。

在世界上的大都会中，法国巴黎给人的总体观感，是净墙颇多。巴黎老城如今仍大体保持着路易十四至路易十六时代的风貌，其建筑物造型大都很讲究线条变化与立面装饰，但其墙面乃至檐柱的基本色调，却基本上都呈灰色。现在巴黎商业广告很不老少，但直接诉诸墙面的不多，因而这些建筑物的墙面仍呈现着一派净灰，把巴黎内在的花都气息，衬托得格外优雅高贵。至于在蒙马特高地上的圣心大教堂，从圆顶到廊柱墙面真比牛奶还白，仿佛在蔚蓝色天宇中书写出的一阕圣诗。

而崛起于60年代的墨西哥国首都墨西哥城，它那大批现代派的楼宇，把西方文化中的抽象艺术与自己的民族风情嫁接到一起，刻意地在楼宇墙面上镶嵌出了大幅大幅的斑斓壁画，一时传为建筑艺术与城市风格的美谈。如果说旅游者面对着大面积的净墙会感到宁静安适，那么，当旅游者徜徉在墨西哥城楼宇上那些巨幅镶嵌画中而目不暇接时，他们耳边定会感到有踢踏舞的脆响节奏，从而自心底荡漾出欢悦的涟漪。

美国人对建筑物墙面的审美处理则另有怪招。在纽约，有些年轻人喜欢用颜料喷枪在墙上乱喷乱画，甚至一直喷到"活动墙壁"——地铁车厢的外壳上。这种"涂鸦"式的产物，有的人很不以为然，甚至深恶痛绝，但也有的人极为欣赏，而且当做重要的文化现象作严肃深入的研究。在洛杉矶，70 年代则风行过用丙烯酸颜料在建筑物的整个墙面上画出相当具体的图像来。那时有一位女孩问她的父亲，可不可以让她的朋友在他们住的那栋楼房墙上画一颗星，她父亲不经意地应允了，他原以为那不过是绘出一颗五角星罢了，谁知他度假回来一看，吃了一惊：他家住的那栋五层的楼房的整一面墙上，画着一幅巨大的人像，是好莱坞的一位大牌男星的"便装照"！这种风气后来迅速蔓延，不仅有大量的业余创作，连一些著名的专业画家也投入了这股热潮，从而产生出了一批确实具有相当审美价值，值得长期保留的城市壁画。画家肯特·特威切尔说："在楼墙上作画，这是简单易行的事，不仅成本低，而且，想想吧，洛杉矶的建筑物大都平平无奇，有的是空墙好画，画了便成为艺术品！这里气候好，画出的画不会变色曝脱。这是把艺术品从博物馆和艺术馆搬到公众日常活动场所，来让市民们雅俗共赏的壮举！"美国东西海岸的壁画风格迥异，但其一派烂漫与憨直的童心童趣，却是相通的。

我们国家的城市面貌，近年来随着新建筑雨后新笋般地拔地而起，迅速地改换着容颜。如今政治性的或社会公益性的宣传性字画，直接绘制安装到建筑物墙面上的似乎不多，但商业性的广告却实在越来越有铺天盖地、见缝插针的膨胀趋势，使我们城市里的净墙逐渐成为稀罕之物，这确实构成了一个不容忽视的问题。

商业广告是城市生活中无法排除，也毋庸一律排除的公众共享符码，内容与形式皆好的商业广告，只要站位布局得当，不仅不是城市风景线上的污点，甚至还可以构成一种赏心悦目的点缀。不让商业广告在城市建筑上恣肆泛滥，只是一种维护城市审美效应的消极手段。积极的态度与手段，应是或坚持净墙的美学追求，或是富有创意地使用绘画、浮雕、镶嵌、拼装等多种形式，使建筑物的墙面呈现出斑斓绚丽的光彩。当然，室外墙面壁画的设置，应慎重行事。1958 年"大跃进"时代，我们的城乡都曾搞过"诗画满墙"，但由于内容上的泛政治化和庸俗化，形式上的粗糙雷同，结果很快就被人们自动淘汰。现在的建筑外墙壁画应在初始设计时，便作为总体审美追求的一环加以考虑。倘若对大型壁画壁饰的审美效益尚无十分的把握，那么，营造和保护净墙应予优先考虑。我国各地的城市，应根据本地区的文化传统与现实优势，或以净墙为主，或以壁画取胜，或一城中又合理穿插，总之，净墙壁画两相宜，关键在于格调美。

1997 年 9 月 2 日

团·线·篷·篱

城市绿化，除了从环境保护、美化市容及其他实用性角度考虑外，还应有更自觉的美学创意融汇于内。

国内城市街心广场的绿化，就我所见到的而言，似乎大都落套于一个模式：突出最中心的巨型雕塑，周围基本上是配置花坛与矮树、灌木，即使点缀一些高大的乔木，也多取稀疏均匀的构图。这样的绿化构思，优点是富于浓郁的装饰性，尤其是当广场周遭有高大奇突的现代化公用建筑时，街心绿岛的巨雕便格外具有明显的符码意味。但其值得质疑的因素也是有的：许多城市都刻意在其最主要的街心圆岛上，安放象征该城市的雕塑，这些庞然大物往往要消耗惊人的资金，如用这些钱来栽种树木，则往往可以营造出一座可观的树林；于是我要问：难道非得如此这般地装点我们的城市么？

其实，城市中的街心绿岛与街间隙地完全可以采取另一种营造策略，那便是突出高大的乔木，使其蓊翳为一个从空中鸟瞰时，能明显感受到的绿团。在这种布局中，花坛只是点缀，不一定要排拒雕塑，但雕塑不必是庞然大物，只要比例上得宜，非中心、非对称地布置几座，便足增雅韵。这种"团"式绿化，如选取树种得当，能有耸空之势，得葆四季常青，效果尤佳；南方城市，应不难落实。法国巴黎以凯旋门为中心，辐射出多条街道，这些街道的绿化方式并不雷同，其中最著名的香榭丽榭大街，其尽头便是"团"式绿化，令人走到那里，忽在都会闹市之中，俨然森林迎面，其爽人心脾的效应，十分强烈。

倘若街心广场是"绿团"，那么街道两侧的行道树不消说便是"绿线"了。当然，"团"与"线"只要由植物构成便好，也不一定非得都"绿"。北京从80年代以降，从事城市街道绿化的设计人员，贡献很大。他们根据北京地区四季分明的特点，精心选择四季呈现不同色彩的品种，选优配置，使北京许多的通衢两侧，早春有鹅黄的迎春与嫩红的榆叶梅交错怒放，仲春有紫丁香与粉海棠争奇斗艳，初夏有洋槐放香，炎夏有竖柳成伞，到了秋天，银杏金黄，枫树殷红，冬日则有青松葆翠、绿柏抗霜……缺点么，似乎高大的树木种类欠缺，原来极多的杨树，在汰劣选优的品种改造过程中，似乎成绩还不那么明显，在引进新的行道树品种方面，看来还应有更大的魄力才好。

随着城市现代化进程的加速，特别是多车道路面的推广，城市绿化带中的"线"

不再只是两道平行直线，而会是多道平行直线或多道非平行曲线。我在台北的仁爱路上，曾看到左右行的快慢车道中间，还有阔带状的绿地，如从空中望下，其间就还有四行的"绿线"，由高大的亚热带棕榈等构成，蔚为壮观。特别是现代化的高架立交桥越来越多以后，非桥地段的绿化线条便更加显得珍贵，值得城市绿化部门下大工夫经营。

上海的许多街道，是以法国梧桐为行道树的，树龄稍大后，这种行道树便两相携手，枝叶可合成绿色的天蓬，这种"蓬"状效果于盛夏之际，尤令炎热中的市民欣喜。相比于上海，北京有这种"绿蓬"的街道便十分稀贵，仅正义路等处的国槐在仲夏中颇具该种风貌，北京的市民把在此种"蓬"下的漫步流连，当做了身心的享受。但随着现代化公共交通的发展，如双层大巴的运行，"蓬"式绿化便会成为累赘，因而今后城市中的"蓬"式绿化恐怕只能沦为小街僻巷中的古典式手段，在通衢大道上难以再加推行。

城市绿化的低矮一族，是"绿篱"，"篱"式手段多具有强烈的标识性功能，如通过随时修剪出的水平面的冬青、刺柏，来作为隔离或分界的矮墙。其实在"篱"的运用上，我们也应有更多的美学创意。《红楼梦》里大观园的稻香村，"外面却是桑、榆、槿、柘，各色树稚青条，随其曲折，编就两溜青篱"，这充满民族文化积淀的"篱"模式，何不在我们当今的城市绿化中，也一展其风采呢？

1996 年 1 月 16 日

城市夜光

上海素有"不夜城"之称。改革开放到如今，不仅上海的夜色璀璨度已达开埠以来最佳状态，并可望更似孔雀大开屏。一些历史上从不注重营造夜光的城市，现在也都提出了"让城市之夜亮起来"的口号。

城市夜光的营造，是一个城市活力的体现。大体而言，一所城市的夜光，由三部分构成：一是路灯与楼宇房舍窗户中灯光组合而成的"万家灯火"，其主调是丰盈温馨；二是公路上，包括立体交叉桥上，由汽车车灯所构成的流动光串——一条是前灯形成的白色光串，一条是尾灯形成的红光色串，两串的游走方向恰好逆反，形成一种血脉勃动般的欢快旋律；三是商店、娱乐场所、公共建筑及单纯广告等构成的花团锦簇的光影，这在某些街区会特别集中，可以说是城市夜曲中的华彩乐段，这也是城市居民们离家消磨工余时间的主要空间，亦即"夜生活"的舞台。

这里主要研究一下城市的第三种夜光。这种夜光，以往我们总是都笼统地说成"霓虹灯"，其实，现在世界上各城市营造夜光的手段，已不仅仅是利用将惰性气体充到玻璃管中，在通电后便发出奇光异彩的霓虹灯了；现在灯箱的使用越来越普遍，在某些城市甚至灯箱式装饰与广告的数量已超过了霓虹灯。所谓灯箱，便是将不透明的彩色玻璃镶嵌成封闭式箱体，箱体内安装强光灯，以营造大面积均匀的夜光效果；像上海南京路的肯德基炸鸡店，便不是用霓虹灯而是用灯箱来招徕夜客的——顺便说一下，这其实也是肯德基在世界各地的连锁店的统一设计，那灯箱以乳白色作底，然后用红色线段与黑色的山德士上校头像剪影来夺人眼目。另外一种现代夜光的营造方式，是用大型的射灯组，入夜后将整栋建筑物的立面照亮，使其凸现出来，或显示雄伟，或炫耀富丽。当然也还有其他一些手段，比如近些年中国许多城市时兴用"瀑布灯"来装点店面，所谓"瀑布灯"，便是用一串串的小灯泡，组合为一片片的"瀑布"，或悬挂于入口处墙面门楣，或斜拉到门外的人行道上，勾连于行道树，有的更将附近的行道树也用这种小灯泡点缀起来，那就近似于夜夜都是"圣诞"的气氛了。

　　有位官员朋友常出境访问，他香港和台北都去过，问他两地夜景如何，他说都不错；问他有何差异，他说没什么差异，也就是香港更漂亮一些。其实这两处的夜光是有重大差异的。香港受英国影响，它马路上的车子是一律左行，因此其"车水马龙"的红白光串的蹿动，是与内地方向相反的；其霓红灯与灯箱等虽极密集艳丽，却是法律禁止大面积扫描滚动的。台湾则主要受美国影响，台北的夜光，像美国那样近乎疯狂扫描滚动的很是不少。官员朋友本无考察境外夜光的任务，道不出差异无可指摘。但我们现在既然讲究"让城市之夜亮起来"，那么，有关的部门，便应当对夜光的营造，有一个总体的把握才好。

　　英国的以法律限制夜灯的大面积扫描滚动，据说是因为其街道大都比较狭窄，怕影响到汽车司机的视觉专注，以减少车祸的发生。我以为这是一项极可借鉴的做法。我们现在推进现代化的步伐实在太快，像城市夜灯的总体把握，似乎还停留在"亮起来就好"的兴奋感上，尚来不及对这一问题进行学理化的探究。我并不一概反对夜光的扫描滚动，但我以为美国式的夜光扫描滚动，特别是赌城拉斯维加斯的那种癫狂夜光，不仅存在着一个是否影响司机视觉与注意力的问题，其中也确实包含着若干社会学心理学乃至伦理学等方面的问题，那种高强度的声光色电刺激，营造出的是一派物欲横流、醉生梦死的氛围，也许具体到美国的哪一个州哪一座城，它有其那样装扮其夜色的特殊缘由，但那是并不可取法的，即使在美国，也并非处处如此的；我国现在有的城市的某些空间中，入夜大有效法此种桃红柳绿的色调并大肆扫描滚动强光闪烁一派俗艳的景象，我以为值得研究，建议改进，因为美国赌城的夜色，无论从哪方面来说，都是并不值得奉为楷模的。我曾在法国与一位记者讨论过这个问题，他说巴黎如今有些街区也出现了此种"浅薄恶俗"的"美国赌城"光影，对此他深恶痛绝。我曾在巴黎有过跨越塞纳河东西两岸的夜游，我的总体印象，是巴黎的夜光营造基本是高贵雅致的调式，其中霓虹灯较少，而乳白色与蔚蓝色的灯箱较多，不少灯箱广告采用彩照式构图，但其中很少用桃红柳绿等俗艳的色块，而大都追求一种古典油画或印象派油画的视觉效果。巴黎那些整条街整条街都保存得相当完好的古典建筑，立面都是灰色调为主，入夜常用射灯光打上去，还原出其本色来，配之以乳白色为主调的灯箱标识，只偶尔在这里那里，用一些腥红色或其他色调的光影加以点缀，望去确有一种说不出的雅韵。这除了市政部门方面或许有所引导外，也与大多数法国商人的美学眼光已脱离了恶俗有关吧。这里面也有个市民们的总体美学素养问题。那当然更是"冰冻三尺，非一日之寒"的事儿了。

　　如今中国大陆的城市夜光，总体而言，折射出了奔小康的一派喜气，尤其是在猪尾鼠头之际，许多城市都用成串的中国式红灯笼，组合为大面积的正红色光海，营造出具有中国民族特色的既欢乐又祥和的节日气氛，值得大大地肯定。但我以为倘过细观察，则可讨论的问题也颇不少。比如"瀑布灯"的使用，我以为用以装饰小店面小建筑为宜，有的地方用来挂在很雄伟的大楼和很豪华的饭店商家的门面上，我以为是一种"破相"，因为"瀑布灯"是一种"小家碧玉"的穿戴，你用来"美化"伟男公主，便属错位了！再，我不明白为什么有不少地方，喜欢用绿光或蓝光来照射整幢大厦，是觉得那样的色调美丽优雅吗？绿光与蓝光这类冷色，在大面积的营造时，我以为是应当慎重的。我家楼窗外望出去，有一家星级饭店原来夜夜用射灯照成绿惨惨的一团，非但没有美感，反而令人望之不快，有一回我便问那里的一位部门经理，他们为什么选择了绿光。他回答说那并不是刻意地选择，而是为了响应"亮起来"的号召，派人去置办器材时，碰巧拿来了射绿光的灯具，如此而已！这说明，我们不能只停留在"亮起来就好"的初级阶段上，对城市夜光的勾勒营造，实在应当逐步地引入到美学考虑的高度上来。我是主张在用射灯显示建筑物立面时，最好采用白光还原其阳光下的原色；其次橙色光也比较雅气；节日可用红光；而绿光与蓝光最不可取，尤其是绿蓝等光在一栋建筑物上混用，除非是整合于一个精妙的光影构思中，一般来说，是难以产生美感的。上海外滩的夜光配置中，似也有较大面积的绿光与蓝光使用，敢问其美学上的追求是什么？如并无深层考虑，只不过是为了"色彩丰富"，那么，我也便不揣冒昧来进一言：宜加以更和谐的配置！

1996 年 4 月 18 日

都市项链款式多

我们常用"万家灯火"形容城市夜景，其实有的时候从有的角度观察城市，那荧荧的灯火倒未必是出自万千的家居，比如我曾在夜半飞抵阿联酋的迪拜，从班机舷窗鸟瞰，映入眼里的是几道纵横交错的灿烂珠串，那是迪拜城郊公路上的路灯构成的光影，十分抢眼，令人难忘。可见都市街巷、公路的路灯，正犹如穿着晚礼服的城市脖项上挂出的珠链，不可小觑。

直到如今，绝大多数发展中国家的乡村里，是不设路灯的。路灯是城市的产物。传统的乡村一到夜晚便整体进入睡眠状态，然而城市却总有不眠的一面，到近代则更有所谓的"夜生活"跃动着，特别是汽车的普及，使得路灯这一公众共享的照明设施成为了不可或缺的东西，夜都会可能会熄灭掉写字楼和家居的灯火，却万万不能中断路灯的光焰。

一般来说，路灯的功能性是大大超越于它的审美价值的。尤其是高速公路与城市环路两旁的路灯，现在各个国家的设置方式，都是尽量使照明的亮度充分而又柔和匀净，却尽量不让驾驶员感觉到灯柱灯杆与灯体的存在。在市内一些主要的干道上，往往也是这样一种处理方式。比如入夜后从我家朝南的窗户望出去，立体交叉桥的大转盘犹如一块硕大的玉璧，而连着它的通往王府井的那条大街上的街灯，便犹如闪烁着珍珠芒晕的长长垂链，流光溢彩，构成我远行在外时，怀乡思家的生动记忆，然而，我却一直并不清楚那立交桥上的照明器与那马路上的路灯究竟是怎样的造型。这种造光而匿形的路灯系统，看来还有进一步发展的趋势。

　　然而夜都会这美人儿的灯光项链，注重灯柱灯体造型的，也还很多，并且款式相当丰富。我们在福尔摩斯探案那样的电视连续剧里，可以看到带蜷曲装饰花样的铸铁架、玻璃罩的尖顶盒形街灯，那种西洋古典式街灯的造型，是与哥特式尖拱顶建筑风格相匹配的，传达出一种特有的氛围和情调。这种街灯里最初可能点的是蜡烛，每晚由点灯人打开一面玻璃罩，用长长的引火器将其点燃，到凌晨时再由他用同样是长长的灭焰罩将烛焰熄灭。后来它可能变成了煤气灯。再后来可能是炭精灯。最后才在里面装上电灯，灯泡可能不断地更新改进着，甚至于用上了新型的节能灯。然而，这种造型的灯体，似乎成为了一种人们久视不厌的定式，不仅在英美等西方国家流传至今，在其他国家，比如改革开放后的中国，也开始出现在某些地方。当然，人类总是一方面延续美好的传统，一方面不断地创新，在城市街灯的款式上，各民族创新的例子很多。各个城市中总有一些街区，是市民们流动量最大，而景观共享程度最高的地方，尤其是商业区的步行街，那里的街灯，就不仅是夜晚照明的器物，甚至在大白天里，它那独特的造型，也应成为令市民和游客们赏心悦目的部件。莫斯科著名的阿尔巴特步行街，两旁的建筑物是古典风格的，街灯却颇具现代派韵味，互为映衬，相得益彰。冬季的斯德哥尔摩街巷，人们故意在电光下还要等距地摆放些古色古香的大烛台，甚至点燃些落地搁置的"火把盆"，这就更超越了功能性考虑，是对古雅生活品味的刻意追求。我们国家天安门广场及附近街区的巨大"兰花灯"，更是把中国古典美与现代中国人的昂扬气派糅合得极为成功的设计，可谓与京都礼服配合得恰到好处的几条项链，既璀璨华美而又落落大方。上海外滩黄浦江畔更新后的路灯，与周遭环境也可谓珠联璧合，不待燃亮，亦堪观赏。

我曾在《城市夜光》一文中，提出了重视入夜后城市光影的美学意蕴的问题，但那篇文章里没有专门讨论城市的街灯。据说一些国家的建筑行业中，专有一批人是从事布光的，他们把建筑物的外光与街区的光影当做一门学问来钻研，并相应地设计、配置有关设施，以达到最佳的效果。我相信我们国家在这方面也会尽快赶上那些暂时领先的国家，给我们祖国大地上可爱的城镇，戴上串串熠熠生辉的项链。

1997 年 8 月 28 日

都市中的野趣

曾在巴黎从凯旋门出发，沿香榭丽榭大街前行，那是巴黎最繁华的人造风景区，一路上真可谓满眼豪奢、望断红尘，路尽，却不知不觉地来到了一片绿地，开头一段，还颇多人工雕琢痕迹，渐渐地，竟高树丛聚、蔚成林翳，而且那树上落叶飘落草上，并无园林工人刻意除去，就任那积叶一层盖上一层，下面的已然腐烂，成为天然肥料，上面的则黄褐挺脆，那总体情调，很有点野趣，咫尺之遥，而判若另境，不禁由衷赞叹其配置之妙！

最近在马来西亚首都吉隆坡游览，发现这座城市更是于繁嚣的现代化街区之中，时有并未刻意雕琢的大片草坡树林出现，车过彼处，几以为是穿行于绿色乡野，令人心旷神怡。至于东马来西亚（北加里曼丹）沙捞越州首府古晋，那就除了江边的街区以外，绝大部分的市区都是树木花草多过建筑物，而且若干区域的树木花草也并不精心修剪，倒是荣枯开落任由之的气象。这种都市中的野趣，显然并非是"开发不够"所致，恰恰是经济起飞的过程中，着意保护城市"肺泡"，严格控制建筑物在整个城市空间中所占比例的结果。这当然是营造现代都市文明时应追求的一份诗意。

在我们中国大陆的城市中，有的也是具有于繁华中配置野趣的基础与潜力的。比如北京市内便有什刹海等富于天然意趣的湖域，南京鸡鸣寺一带及玄武湖附近，也都颇有几缕繁华落尽、野树荒波的韵味在焉。国外一些大城市的大学，是敞开式的校园，这部分"市区"，格外地花木繁茂，每栋或一组建筑物之间，常有开阔的"野地"，就是建筑物本身，也都以披上常春藤为荣；我新近访问过的吉隆坡的马来西亚国立大学、新加坡的该国国立大学与南洋理工学院，都是如此；其实位于市内的南京大学就其基础而论，也是很有类似情调的。可惜我们多数城市在加速发育的过程中，不仅未能把营造一份都市中的野趣当做城市美学追求的一个方面，还往往有意无意地戕害着原有的一些可贵的野趣。

在一些城市里，原来仅存的一些野趣是在某些公园的边角上，那本是弥足珍惜，纵使不将之扩展，也该加以保留的，可是现在连这种公园里的小小野趣，也遭到了芟除。我家附近的地坛公园，其东南角本来有一大片杂树构成的林子，是该园林中最富野味的一隅，入夏铺成大面积的浓阴，秋来红黄绛紫相间，甚是悦目，最近却忽然全数砍伐，投巨资将其改造成一块块规整的、由"横平竖直"的塔松组合成的"松园"，不仅盛夏其荫难以蔽人，入秋也再无斑斓的色彩娱人，真不知园林部门如此劳民伤财地改造"野林"，是出于怎样的美学考虑？而这类"化野为驯"的园林处理，似乎在我国各地已成定势。

在一些国内公园中绿地中，除了特意栽种的花草树木，往往也还有些自然生发出来的野生植物，这些植物有没有生存的权利？我曾和北京一家公园里正在小山坡上芟除野生多头菊的园林工人有如下对话：

——您为什么要费那么大力气拔除它们？

——因为它是野的呀！就是，它不是我们种下的！

——可是它们长在这儿有什么坏处呢？它们挺好看的呀！而且，您闻闻，它们的味道也很好呀！

——它们是野种！它们跟我们种的东西争肥！

——如果它们长在牡丹花圃那类地方里头，您拔它我能理解；可是它们长在这小山坡上，能跟这儿的草皮和树木争走多少养料呀？我看被你们拔掉多头菊的地方，草皮也并没长好，那边山坡跟"癞痢头"似的！

——那也得拔了它！领导有这个要求！它是野的！城里不能有野长的东西！

看来那多头菊，还有比如说野蓟、兔儿草、蒲公英、曼陀罗，以及湖池边的慈姑、灯心草、芦荻……都免不了因属于"野种"而被芟除；在我家楼下的护城河边，常有园林工人将辛苦芟除的野生植物堆积一处，稍为干燥时便将其点燃，飘散出股股苦涩的气息；而那河坡芟除了"野种"后，"规定植被"又并不争气，不能将裸露的泥土全然覆盖，望去真令人啼笑皆非。

其实我国传统的城市美学追求，包括园林艺术的美学追求之中，是不仅从来不拒绝野趣，而且有时还是很能因地制宜，文野互映，来营造富于人情味的氛围的，比如济南城，原来其妙处便在于"半城荷花半城柳"；北京的恭王府花园，在精雕细刻的人造风景周围，偏以充满乡野风味的土山将其环绕，并且任其上丛生着包括酸枣棵子和荆藤的"野种"。在可能的范围内，以可行的方式，使我们的都市里哪怕只保留下一些小小的野趣，以就地抚慰都市人那焦虑的心灵，难道是一种奢望吗？

1996 年 8 月 6 日

享受"灰空间"

城市居民楼的阳台设计,在中国成为了一个"老、大、难"的问题。阳台本是建筑物中的一个"灰空间"。所谓"灰空间",按我的理解,就是建筑物中的某些带有敞开式部件,将该建筑物的某些部分与外部环境直接沟通而形成的那个空间,比如中国古建筑中的亭、台、榭、廊、舫、轩等,就都含有或大或小的"灰空间";西洋建筑也很讲究"灰空间"的设置,楼宇阳台便是其最常见的形式。但是在近二十来年,中国城市中带阳台的居民楼虽然雨后春笋般拔地而起,到处都经常看到兴高采烈迁入其中的居民,但往往是随着居民的入住,阳台也便渐次地消失,那消失的方式,便是将其封闭起来,成为一间带窗的小屋,有的更拆除阳台与住房间的承重墙,使其连为一体。开始,封阳台还是住户"各自为政"的混乱状态,后来,形成了"统一行动",有的宿舍楼因为住户属于同一单位,封闭阳台更成为了各家均能分沾的一项"福利"。个别住户不愿意封闭阳台,还往往被邻居们视为"怪癖"。这样的情形越演越烈,于是人们开始呼吁:在设计和建造居民楼时,就不要搞敞开式阳台,一律地把居住单元封得严严实实,以免入住后再去补封阳台;这样的设计和施工方案,近两年果然多了起来。

一般中国居民为什么不欢迎敞开式阳台?浅层次的原因,是许多家庭在搬进楼房前饱受居室狭小之苦,而所搬入的楼房单元尽管宽敞了许多,却也还总觉得不够使用,因此仍千方百计地扩大居室面积;在这种心理趋使下,入住者的眼里是容不下"灰空间"的,他一看到阳台,便亟欲将其化为封闭起来的"绝对空间"。其实现在有的楼房住户人均享用的"绝对空间"并不算少,可是他们也还是要消灭仅有的那一块"灰空间",这就不能不探究深层次的问题了,那问题是出在了哪里呢?出在了对居家乐趣的追求只局限于"吃、喝、拉、撒、睡、玩"的浅薄庸俗上。

　　不错，家庭居室，总体而言应是一具有相当封闭性的私密空间；但好的居室，应有一部分是能与室外的自然环境直接相通的，阳台的设置，便是这种"灰空间"最惯常的存在方式。居住者从"绝对空间"到达"灰空间"应是便捷而愉快的，可以在那里呼吸到室外的气息，听到"市声"，晒到阳光，或沐于微雨；还可以近观远眺，与星月对话，朝天际轮廓线浅吟低唱；"灰空间"应是居住空间中最富"自然气息"的一角，那里适宜养些花鸟，放把休闲躺椅，暂忘功利世界的烦忧，享受人生中种种最琐屑却可能是弥足珍贵的亲情之乐。西方且不去管它，我们中华民族设计建造居室的鼻祖是"有巢氏"，"巢"，便是一种"灰空间"，所以直到本世纪，我们南方的民居必有"天井"的设置，北京"四合院"中多有回廊抱厦；现在城市居民多迁入高层单元楼中，那阳台便该是"巢"、"天井"、"回廊"的变数，从继承"天人合一"的居住美学传统这个角度来思考，我们实在没有道理封闭阳台，割断我们与"天"衔接的通道；在居室中闷居，光靠开窗是无从使我们心灵与"天"相感相悟的；所以我要说，我们城市居民楼的设计建造，不仅不应取消阳台，还应逐步扩大与优化阳台。

　　曾到香港的"廉租屋"高层民居聚集点去观察过，那些往往显得比大陆的居民楼细高的蜂巢式建筑，许多单元是没设置阳台的，因为阳台确实是一种"奢侈"，既要"廉租"，那只好舍弃"奢侈"；但这些多半以裙楼勾联在一起的居民楼，其间却设计出了相当宏阔的共享性"灰空间"，比如位于裙楼顶层与倒数二层的活动区，那里可以纳凉、散步、交往、休憩、娱乐，实际上是居民们共用的大平台、大阳台，而在最下层往往还有大型超市、饭馆茶室及各种满足一般生活需求的各色商店，这些商业性机构往往也延伸出相当宽敞的"灰空间"，并与楼间的庭院、绿地、喷水池相连，使整个居民区"室内"与"室外"的过渡显得自然而顺畅。这种在居民楼间配置共享性"灰空间"的方式，值得内地借鉴。

有的富裕起来了的中国人，以为居所的高档与否，全在封闭起来的"绝对空间"中的装修是否豪华；我曾看到有的暴发户所造的别墅，竟严实得恍若只留了不多"枪眼"的大碉堡。其实，中外古今，真正会享受的富人，其居所都是尽量追求"灰空间"配置的，你看《红楼梦》那"大观园"，拥有多少处雅致曼妙的"灰空间"啊；而美国电视连续剧《豪门恩怨》里所表现的富家豪宅，不也主要"豪"在了"灰空间"的随处可见么？当然，个人的豪富是并不值得艳羡的，那些豪富之家的"灰空间"里经常演出着一些丑恶的场面；我之这样举例，不过是为了强调"灰空间"的功能性价值与审美价值罢了。

现在我们的城市中，有越来越多的公共建筑，比如大型的商厦，有的，已开始重视"灰空间"的配置，或在某楼层辟出渐次出室越廊的平台，开设咖啡冷饮座；或在敞开一面墙、摆置着大盆绿色植物的地方设置休憩点；或在穿堂水池旁特设鲜花亭；或在顶楼亭式餐厅中推出自助烧烤……可以想见，这种有"灰空间"的商厦，定会比全封闭的同类商厦更能吸引顾客。

美国有位叫理查·费诺的建筑师，他1989年将他在加利福尼亚红杉林中的居所加以改建，他并没有用很多的钱，不追求豪华，而是非常有创意地将那基本上是木结构的居所与周遭大自然浑然融为了一体。其中最令人叫绝的是他在第三层下"掏"出了一个三面只有矮栏的平台，这平台与他的卧房之间，用一个带窗户的活动墙面相分隔；活动墙面置于一个滑轨上，拉拢后便是带窗的卧房墙，推开到悬于空中的那部分滑轨后，卧房便与平台合为了一个"灰空间"；他并且为卧床四脚安装了万向轮，一年中差不多有九个月，他晚上都将卧床滚到"灰空间"的平台部分，在红杉林的气息中从容安眠；这是多么富于诗意的生活！

我们虽然一时不能拥有理查·费诺那样仙境般的"灰空间",但是,难道我们还不醒悟过来吗?不要再盲目地把家居封闭为清一色的"绝对空间"了,让我们从此懂得并善于享受"灰空间"吧!

1997 年 9 月 4 日

城市天际轮廓与"鸟瞰效应"

凡是经济加速发展的城市,其天际轮廓线必定不断发生变化。倘若说掌握城市建设的部门及其运筹者对单个的新建筑从美学上进行考虑已难细密,那么从整体上把握城市天际轮廓线的变化,使其符合美学上的要求,则恐怕就连粗略考虑也难顾及了。因而世界上许多城市天际轮廓线的变化实际上处于一种盲目状态,它到头来变成什么样便由它什么样。城市天际轮廓线可以预先有所设计,却几乎无法事后变更。

在历史上不乏在建筑时进行总体上的美学把握,从而使建成的城市天际轮廓呈现出不仅是优美的线条,而且富于丰厚文化内涵的事例。中国明成祖时建成的北京城,由巍巍的城墙、瓮城、箭楼、城楼、角楼等组成的外部天际轮廓线,以及由煤山(即景山)、白塔山(上有尼泊尔式黄教佛塔)、紫禁城城堞和角楼、钟鼓楼等高耸的人为景观所构成的内部天际轮廓线,都予人一种厚重、静穆的心理感染,因为那轮廓线大体上是在一个平面上展开只偶有规则性凸变并且有一种连续的均衡感,从而无言地象征着中华文化的某种封闭性、自足性和亲地性、中庸性的特征。再例如法国路易十四和路易十五时代经过总体规划的巴黎建筑群,哥德式的尖拱顶建筑和洛可可式的有着繁琐花式外廓的建筑,交相组成了一种灵动中不断突兀上升的天际轮廓线,与明、清两朝北京城的天际轮廓线的韵味全然异趣,后来到拿破仑时代有了凯旋门，到本世纪初又有了更具象征意义的"人"字形大铁塔，巴黎的天际轮廓线充分地体现出了法国民族的自满与浪漫气质，显示着法兰西文化传统中的某种精细性、向天性和人道倾向。

但是例如美国纽约，特别是其曼哈顿岛区，那天际轮廓线的形成绝对是没有预先规划，而是任由自由经济的魔怪变戏法般将其胡乱凑成的，也许到了本世纪 60 年代末 70 年代初，日裔建筑师山崎实（译音雅马萨奇）在曼哈顿最南端设计纽约世界贸易中心大厦时，他自己和关心纽约市容整体美学效应的部门和人士，才不仅从该建筑物本身，更从曼哈顿岛未来的天际轮廓线上考虑了一番吧，结果才设计建造了我们如今从电视以及图片上已经熟悉了的那一对方格状双塔建筑，现在该建筑已构成了纽约天际轮廓线中最富特色的"音符"，有的人说极能体现出美国人的单纯与锐气，有的人却说只暴露出美国人的浅薄与蛮横，但不管是喜是厌，人们总不得不承认那视觉刺激是相当强烈的。为使自己的城市变得更富魅力而刻意营造部分天际轮廓线的例子，还可以举出澳大利亚的悉尼，那有说如重叠的贝壳有说如连续的风帆的歌剧院屋顶，不消说以其诡异的天际轮廓剪影已深入了世人之心。最近如有机会到法国巴黎，可从星形广场的旧凯旋门超过香榭丽榭大街朝远眺望，则可发现远处的新市区中有一全然摆脱了古典风格的新型建筑，是两座摩天楼顶上又以悬空横楼相连，恰构成一个新的"凯旋门"，那天际轮廓，便并非偶然形成而是有意营造，一新一旧两座门的遥遥相望，意在体现新老法兰西的承继性与跃动性，唤起幽深的情思和明朗的向住。

北京的高楼大厦越建越多，几座最高的摩天楼都集中在东三环路一线，由北向南三座最高的大厦依次为京城大厦、京广中心和国贸大厦，其间还有非常多的大型新建筑，如最早以玻璃幕墙外观引人注目的长城饭店，最高处有圆形旋转餐厅的昆仑饭店，新建成不久的燕莎国际商城等等，它们构成着彻底改变古城风情的壮观的新天际轮廓线，但由于缺乏事前的总体构想，以及各占地皮各行其是等等原因，有些大型建筑互相过于逼近，有些从设计图上看去相当优美或独具特色的轮廓线在建成后由于互相遮挡、重叠和不能相谐，而混合成了一种缺乏美感的轮廓线，令人扼腕。

与城市天际轮廓线相应的另一种城市总体美感，则显现于乘飞机或别的空中载体向下鸟瞰的过程中，这一过程常借助于摄影机或摄像机，被记录下来而通过电视等大众媒介让人们观看，那观看的效应便可称为"鸟瞰效应"，在"鸟瞰效应"中起决定性作用的除了建筑物、绿地、水域等等外，最重要的是道路，对于实现现代化的城市来说，尤其引人注目的则是立体交叉桥。立体交叉桥的设计与建造或许初衷只是为了解决城市交通中的疏导与管制问题，比修造一般的民居或工厂建筑物更不必着意于美学上的追求，而只需在功能性实效性上下工夫，但一旦从空中鸟瞰城市，则立交桥和公路网络往往便成为了审美中最重要的对象。美国的洛杉矶城就建筑群来说是著名的"一盘散沙"，其天际轮廓线绝对无美可言，然而洛杉矶城的"鸟瞰效应"却极佳，因为该城的高速公路网络和复杂的立交桥系统绝不只是一些单纯的对称图形，而发射出令人眼花缭乱的繁花似锦的视觉冲击波，人们在鸟瞰中禁不住要惊叹人类的智慧和物质文明的飞扬，因而常有艺术摄影家从空中俯拍洛杉矶的路景，以构成扣人心弦充满魅力的佳作。所鸟瞰的城市倘有河流和桥梁，则河形和桥形能否构成一种美的组合，当然也关乎着"鸟瞰效应"的优劣。

也许我对中国城市在经济迅猛发展的建设过程中，应当注意对天际轮廓线和"鸟瞰效应"作总体的美学把握这一要求未免太高玄了，但拳拳爱心，粗粗提醒当可被有关部门和人士容纳，聊备参考，存而待研。

北京城的城墙尽管已拆除殆尽，但北京中轴线上的古建筑古园林群，历经五百年以上风云变幻而大体犹存，企盼从天际轮廓线和"鸟瞰效应"两种角度上，都能尽可能存美而防止受损，比如站在故宫三大殿的台基上，现在大体上还没有很多的现代化高楼的轮廓窜入眼中，从有些角度望去，基本上还保持着不受现代化建筑形影"污染"的古老情调，这状况应该说是好的，但我真希望今后不管在北京何处建造现代化的高楼，不管是现代派风格还是后现代派风格抑或是新古典主义风格，在设计阶段就最好先到故宫三大殿的台基上考察研究一番，看一旦那建筑物矗立起来，会不会使故宫建筑群的天际轮廓线与那建筑物的轮廓线大大地相冲，以至造成视觉上无可弥补的大不愉快，并设法解决这个问题。我们都知道巴黎城区有座建造于70年代的蒙巴那斯大厦，那大厦单看也颇雄伟，或许不乏某种美感，但因离古建筑群和铁塔都太近，结果从许多个方向在不同的高度上望去，它的剪影都大大破坏了巴黎总体天际轮廓线的和谐与优美，许多法国人都引为憾事，外国游客见了也都摇头乃至叹气。巴黎蒙巴那斯大厦造成的缺憾，最好不要在北京和别的中国城市里出现，现在预防，犹未为晚！

1992 年 10 月 17 日

不容忽视的五个"星座"

近十年来，我们的文化领域内堪称煌煌巨制的作品是什么？我以为是出现在若干城市里的建筑艺术精品。海内外一些专门研究建筑艺术的学者认为，近十年来中国大陆的建筑艺术有五个熠熠生辉的星座，它们之中四个在北京、一个在上海，北京的四个是：1982 年建成的北京香山饭店，由美国华裔建筑师贝聿铭设计；80 年代中期建成的中国国际展览中心，由柴斐义设计；1990 年建成的中日青年交流中心，由中国李宗泽和日本黑川纪章共同设计；也是 1990 年建成并在"亚运会"中得到充分利用的国家奥林匹克体育中心，由马国馨设计。上海近十年来拔地而起的新建筑也很多，但被指认为"五大星座"之一的却是由美国建筑师波特曼设计的上海商城。当然这"五个星座"的说法也一定会有人提出异议，实际上随着近十年中国社会生活的巨大变化，建筑作为一种艺术创作，以及建筑作品直接参与社会新的文化架构的组建，所开放出的花朵、铺展出的碧草，那数量和范围都是相当繁多与宽广的，可惜我们的美学家们和艺术评论园地，对这方面已经赫然在目的成果，还缺乏足够的注意，甚少评析与探讨。

在文学艺术的各种门类之中，建筑艺术在面对民族文化传统与现代化的人类文化通则时，更有一种短兵相接而又时不待人的困惑感与紧迫感。上述的五个"星座"都是直接承担对外开放的社会功能的，因而绝不能只照传统旧方"炮制"，也不能回避现代化即必须是最新式的这一前提，这实际上也是今后无数作为艺术品的新建筑所面临的局面，同时，即使是一栋比较小型的建筑，从设计、施工到完成，它绝不单纯是一种艺术创造，而首先是一种经济活动，它严格地受到投资、功能要求、工期、材料、工艺、预期效益种种因素的控制，而且一旦出现在大地和天际，即使从美学意义上我们判定它彻底失败，它也要长时间"丑陋"地存在下去，绝不是如我们对付文学艺术中别的门类的"毒草"或"莠草"那样可以便当地加以禁绝或芟除的。然而在近十年来华夏大地上雨后春笋般滋生出的建筑艺术作品领域中稍加徜徉，我们的欣喜之情便不禁油然而生：有众多的作品在处理民族文化传统与现代化的人类文化通则这一相当艰难的和谐化之努力中，取得了明显的成果。上面提到的五个星座，便是其中的佼佼者。

北京无疑是最足以展现中华建筑艺术民族传统的城市，尤其是历经五百余年沧桑而仍基本保存完好的紫禁城建筑群，外在的形态、色调以及工艺之精美、配置之巧妙，已足令人惊叹不已，而通过一组组建筑语言所传达出的中华文化的深邃内涵，如天人合一、中庸之道、伦常有序、阴阳互补、五行生克……更使人回味无穷。然而紫禁城建筑群也最尖锐地暴露出它那与现代化格格不入的特征——它处处为万人之尊的帝王及其极少数"主子"着想，而几乎全然不设置"公众活动空间"（或称"共享空间"），我们在现今称为"故宫博物院"的紫禁城中参观时可以发现，权倾一时的晚清"军机处"的办公室，竟是养心门外一溜矮小窄隘的房屋，纵然在举行大典时，太和殿前面的广场可以供臣子们跪伏，但他们进退时所暂憩的两厢朝房，也相当窄小；而所谓现代化的前提之一，便是封建专制的结束与民众参与的必然，故而体现在建筑艺术的革新上，最鲜明的特征便是对公众活动空间的重视与精心配置，当然，那种为帝王的威严而使用的令人感到被威慑被压抑的建筑语言，也便改变为使民众从个体感受上生出解放、舒展、欢愉种种情绪的新的建筑语言。但西方资本主义的建筑艺术，又一度走向用排山倒海的物质感压倒个体自我存在意识的"语体"之中，最突出的例子便是美国纽约曼哈顿的高层建筑群，其中似乎又以日本建筑师山崎实设计的世界贸易中心的那对110层的高达411米的方形双塔摩天楼体现得最为充分，笔者作为一个心灵中毕竟充弥着中华文化积淀的个体，几年前在走进那建筑物中参观时，确实有一种被西方"物质文明"压抑得透不过气来的感觉，而一位陪同我前往的美国文化人亦称他同样有种"失却自我"的不快；这说明对于现代化，我们不应盲目地向西方的文明产物认同，我们应吸取的是那些已成为当今人类共识的文化通则，如对封建专制、殖民主义、种族歧视、性别歧视、强权主义、恐怖主义、无知愚昧、蔑视文化、闭关自守、拒绝沟通、环境污染、生态破坏……的断然摒除，以及对科学技术、人的创造才能、人在法律许可范围内的自由行为、人际之间和人与大自然之间的和谐意愿与努力、人的心灵的净化与提升……方面的充分尊重与孜孜不倦的追求。把握住了这一点，再充分地从我们民族文化中弃糟粕吮精华，则必然有成功的建筑艺术精品产生。

贝聿铭所设计的香山饭店，一般观者不难从其外表上看出，那构思灵感显然一部分源于中国西藏的佛寺建筑，营造出一种东方式的庄重与宁静的氛围，但其最成功的部分，还是内部大堂空间配置的匠心，既有东方文化的均衡和谐意蕴，又有相当前锋的现代化风格与气派。柴斐义设计的中国国际展览中心，首先以简洁的线条和明快的结构，充分展示出新型建筑材料所体现出的现代高科技感，从而为首先目睹它的北京市民带来了一种进入崭新视觉感受的快意，而它那内部可以随机调整的展览空间，又使参观者对当今的中国必须以开放的姿态融入世界大家庭这一点获得了一种无声然而强烈的启示。中日双方设计师通力合作的中日青年交流中心，乍见颇感怪异的建筑语言并不给人一种"洋"的感受，而体现出东方玄学的神秘与深奥，但其后现代主义（Post modernism）的前锋色彩，相信在西方建筑艺术界眼中，也是相当浓酽的。中日青年交流中心的建筑语言也许令现今许多中国人接受起来（指审美接受，其功能接受——启用即几乎不成问题）还有诸多心理障碍，那么，几乎全中国民众都已从有关"亚运会"的电视报道中看到的亚运村国家奥林匹克体育中心，相信已令大多数人产生出哪怕是不自觉的审美认同，特别是那斜拉悬挂屋盖结构所形成的双帆形剪影，望去令人欢愉而振奋，堪称是一个既体现出民族昂扬精神和对传统建筑语言中的对称趣味厚重情调的充分承袭，而又充分地现代化——蕴涵着革新、开放、个人与群体的和谐、人造景物与自然环境的和谐、竞争精神、对高科技的尊重、对力量与聪明才智的赞颂种种因素——的建筑"句子"。

十年没有去上海了，所以不能一睹上海商城的芳容，但从所见到的图片上获得的感受，可以意识到那并不是西方任何同类建筑的一个赝品，而很见设计者的创新激情；波特曼在西方建筑界是素以擅长处理"共享空间"，并在这方面有理论建树的大家，可以想见，上海商城内部的"共享空间"的配置处理，一定极富特色。

笔者对建筑艺术只是个有浓厚兴趣的外行，写此文的目的无非是痛感社会上尚未形成将作为艺术重要门类的建筑加以审美关注的风气，一般报纸副刊的美学评论似乎至多只及于所谓城市雕塑及其他建筑艺术中的环境配置构件，而绝少论及建筑物及建筑群本身，面对着实际上远不止前面所提及的五个星座的大量新的建筑艺术成品，我们实在应该使建筑艺术的评论活跃起来，并大大提升包括我们自己在内的广大民众的建筑艺术审美意识。

1992 年 3 月 12 日

"凝固之音乐"亟需评议

黑格尔老人曾说："建筑是凝固之音乐，音乐是流动之建筑。"真是精辟至极之论。中国大陆自改革开放之后，各处新建筑如雨后新笋，尤其是大城市里，体量巨大，并且除了注重功能性，也相当注重装饰性，乃至把投资额的相当部分用在艺术性追求上的建筑物，出现得越来越多；可是，对这些建筑物的公开评议，却非常之少；这是很不正常的现象，亟待改变。其实，一部音乐作品倘若真是失败了，那么再不去演奏演唱它，也就罢了；可是，一件"凝固之音乐"作品，特别是一栋耗巨资建造起来的庞然大物，一旦屹立在城市的地皮上，那么，倘若它被判定为丑陋颟顸，我们只能是"其奈它何"！需知：拆除一栋建筑物所费的资金，往往并不亚于，乃至有时还要超过兴建它的投资！

为了促使城市新建筑提升其美学意蕴，报刊上的公开评议是至为必要的。这绝不仅是建筑行业本身的那些专业报刊才该承载的任务。谁来评议呢？建筑学专家当然最有资格评议，然而，社会公众，不管是谁，其实都有权利来评议他所生活于其中的空间里的建筑物，即使他本身并不能使用那栋建筑，但那建筑物既然构成了他视野中的一道不能回避的风景，他甚至不能"眼不见为净"，那他就有权大声地道出哪怕是简单到极点的感受："真漂亮！""好难看！"对"凝固之音乐"表达自己的喜厌爱憎，那是文盲也有其一份权利的。当然，最好所发出的评论能超越直觉，而达到理性的层面。不过，那所道出的"理"，却完全不必由建筑学的专业术语所构成。

在西方，特别在美国，出现了专门的建筑评论家，但他们就往往并非建筑界当中的专业人员。例如美国建筑评论家保罗·戈德伯格，他就说过："我看到的一些杂志有详细的数据、美丽的摄影，像一本汇集了各种直观资料的画册，但缺少建筑的核心，即使刊载一些论文，也只是建筑的介绍，而且大多数是由建筑师自己写的……我认为从记录已经竣工的建筑物这一点来说，确实还是有价值的，但对评论作品来说，建筑家并不是合适的人选，因为建筑本来是应该由建筑家以外的人来加以批评的。"我们知道美国早期的建筑艺术评论大家刘易斯·芒福德，便并非建筑界的内行，而是一位作家；他曾著有《来自生活的素描》一书，显示出他所持有的评价"凝固之音乐"的首要原则，并非是建筑学上的那些原理，而是对体现于建筑物中的人情、人性和人道精神的诉求。戈德伯格继承了刘易斯的这一优良传统，比如他在评论美国兴建摩天楼的浪潮时说："建筑既是美学观念的表达，也是形象、价值和力量的体现……这些美国创造的精华，把美国人对技术和发展的信念，同美国人对充满戏剧性效果的追求结合起来……新一代摩天楼体现了美国人对于商业、环境以及他们自己的历史的看法的转变……它们似乎是呼唤人们走向纯洁、光明和新秩序的号角，它们的玻璃幕墙似乎给郁闷的城市中增添了轻快感，它们开阔的底层空间好像给狭窄、稠密的城市带来了活力和欢乐……这些大厦被当做新时代的产儿而受到人们的称许与欢呼，但是盲目的抄袭和模仿，急功近利的商业化追求，随之带来了新的千篇一律，这大概是人们漫步于曼哈顿，虽高楼林立、眼花缭乱，但给人以深刻印象的建筑却屈指可数的缘故……"对他的此种评论我们不一定去认同，但他的"自外于"建筑界的身份选择，以及他那把社会性和人性的美学考虑置于纯建筑学理之上的评论角度，对我们显然具有很高的参考价值。

我个人并不自信具有成为建筑评论家的可能，然而我对建筑物的乐于说三道四实非近年伊始。最近我在北京一份在市民中颇为热销的《为您服务报》上开辟了一个专栏，叫《通读长安街》，每周配图点评北京长安街上的一栋（或相关的一组）建筑物，打算一连串地将长安街上的当代建筑加以评议，故号称"通读"；我以为长安街上的当代建筑物实在还都难称"音乐"，所以且把它们当成"翻开之巨书"，或充其量可当成"凝固之诗篇"，直抒我的"读后感"，企盼多少起到些掀建筑评论浪头的作用。

《文汇报》的《笔会》近来很重视对"凝固之音乐"的评介，不过，似乎一时也还是内行评介内行的材料居多，这虽然挺好，却还不足以搅动一池春水，使建筑艺术的评论走出学院的圈子，达于泼辣灵动。其实上海作家中对建筑艺术饶有兴致，并有话可说的人物大有人在，我记得两年前到上海偶遇吴亮，他就不经意地说出了他对上海淮海路店铺时髦装修的印象，道是给人一种"镀金时代"的感觉，那所镀的一层东西，"一撕便可整个剥落下来"，寥寥数句笑谈，颇令我振聋发聩；我想以他的学识见地，哪怕是仍旧漫不经心地通读一下上海的新建筑，那所能引出的效应，也该是强烈的；唯愿像他这样的俊杰有评议"凝固之音乐"的兴致！正是：大家且鼓舞起来，令建筑评论升温！

1996 年 8 月 8 日

第三卷

建筑·环境·人

高楼算否风景

所谓风景，按人们约定俗成的划定范畴，一是大自然本身的美丽景色，一是历史的或民俗的人文景观，其余的东西，则难归入"风景名胜"的行列。比如外地人到北京，登长城参观十三陵、逛故宫游颐和园，以及到十渡或京东第一瀑，自然是正儿八经地欣赏风景，至于逛王府井或秀水东街，到夜市上吃风味小吃或进肯德基快餐店领略美式炸鸡，则只能算是旅游中的一种调剂或余兴，似乎不好视为一种与风景的亲近。

北京古老城墙的拆毁，多年来很为一些珍惜文物的人所诟病，而眼见着一个个凝聚着几百年北京特有的文化特征的四合院的破坏与湮灭，更令许许多多的中外人士痛心疾首。近十来年北京的高楼大厦真如雨后春笋般争先恐后地拔地蹿升，不仅有大量按相同图纸建起的可以归类的居民大楼，也有许多具独特面貌的豪华饭店、宾馆、体育场馆、购物中心、写字楼不断地竣工投入使用。往者北京的天际轮廓线是一种平面展开的近于对称的均衡之美，如今北京的天际轮廓线却呈现出一种竖向地犬牙交错的峥嵘之势，已绝不均衡，美不美呢？似乎也已构成了一个不得不细加思考的问题。

有一种比较普遍的看法，是高楼破坏了北京的景观。不像这般尖锐的看法，是认为高楼虽不得不建，但还是少建为宜，高楼单独看去虽未必难看，但高楼毕竟不是风景。但我也听到一位朋友的看法，他认为高楼本身也是一种风景，而且是一种很不错的、体现着时代精神的风景。

那位朋友说，我们不妨回忆一下，当 1959 年北京的"十大建筑"落成后，不仅北京人引为自豪，就是外地仅仅从照片和新闻电影中看到的人，也都认为那不仅是祖国欣欣向荣的政治性社会性符号，并且也是一种美丽的景观，能引出旺盛的审美激情。实际上当年那"十大建筑"从设计到施工，也确实都既注重了实用也绝没有忽视美观，甚至有大量投资是用在了装饰性部件上，包括建筑物周围的绿化和大型的雕塑作品——突出的例证之一便是农业展览馆。"十大建筑"一度成为北京的"新风景"，成为旅游观光的热点，不必再加讨论，那是事实。但建于 70 年代初的"前三门"居民楼呢？那是绝对只考虑其实用性（根据当时和现时标准是否真正实用是另一问题，这里且不评议），而节省掉一切装饰性的板式建筑，像一堵单调而灰暗的高墙，当初建造高楼没有同 1959 年搞"十大建筑"时那样以它来增加观瞻的用意，但据我那位朋友讲，当年无形中仍有些北京市民把那一大排高楼当做一种独特的景观，加以品评，而他本人也曾亲眼见到刚从北京火车站走过来的外地出差者，兴奋地站在马路对面点数着那高楼的层数，并啧啧地发出着赞叹……这就说明，在许多见识并不宽广的中国人心目中，任何高出于一般建筑物的大楼，都能激起一种自发的朦胧的审美愉悦。

高耸的大楼，一般称为摩天大楼，最先盛行于美国，尤其是纽约、芝加哥等东部都会。在纽约，1931 年建起了 120 层的高达 381 米的"帝国大厦"，直到 70 年代初，它都保持着"世界最高大楼"的纪录，并且至今仍是到纽约游览的旅客们参观的热点之一，笔者几年前也曾登到其顶层俯瞰过纽约市容；但自那以后的二十多年来，纽约盖起了越来越多的更高的楼房，如今纽约最高的建筑应是高达 411 米的两座并立而造型却显得极为方正古板的双塔形"世界贸易中心大厦",我也曾登临过其顶层,穹窿上裸露的水桶般粗的银色金属大弹簧随时在瑟瑟发响,提醒游客那大厦的上部在空气流动中有着左右前后若干米的晃动——惟其如此才绝不会断裂坍塌——令我感到惊心动魄。但全美最高的大楼现在并不在纽约而在芝加哥,1974 年落成的芝加哥西尔斯大厦高达 443 米。如不严格地论楼房而按建筑物的绝对高度计,则整个美国亦未能领高耸之风骚,加拿大多伦多电视塔高达 548 米,一度称霸全球而号称第一,但这几年似乎又有别的国家别的建筑物超过了它,惜手边无资料,无法引用,不管你喜欢不喜欢,上述的摩天大楼,以及像纽约曼哈顿那样的摩天大楼群,确已构成了我们这个星球上的一种风景,而这种大楼风景,也不管你喜欢还是不喜欢,随着我们实行改革开放,已初露端倪于中国许多城市,北京近几年来,更大得风气之先。像亚运村的新建筑楼,已成为北京正式的旅游景点之一,自不消细说,像建国门外到大北窑一带,也时常有北京本地人和外地来京的人有意地在那连串的、形态各异的高楼下散步,把那些高楼当做一种风景来欣赏,而位于大北窑路口的国际贸易中心建筑群,就连一位从香港来的文化界朋友也对我发出这样的赞叹:"真漂亮! 没想到北京也有了这样的景观! "而从大北窑北望,位于呼家楼的高达 50 余层的京广中心大厦,银闪闪地挺拔于蓝天白云之中,更令人眼一亮心一震。

如何使古老的北京与现代的北京自然融合?如何最大限度地保护北京那些凝聚着数百年文明成果的古老胡同和四合院,同时又最迅捷地使北京更适应整个世界的现代化潮流?如何使新建的大楼在采用世界最先进设备的同时又具有浓郁的中国民族特色?这当然都需要详加探讨,但对大楼不再抱有排拒的态度,而认定那是一种新生的风景,应成为我们的共识了吧?

1992 年 3 月 3 日

窗内窗外

华人血统的知识分子真正进入西方文化主流的，有人说屈指数不到 20 个人。头两名，一是美国的建筑艺术大师贝聿铭，另一是法国的大画家赵无极。贝聿铭的作品，不仅遍布美国各地，好评如潮，也出现在了中国，最新的一例是香港中国银行大厦，这栋造形如竖立餐刀的玻璃面大楼高 70 层，据说不仅是香港最高建筑物，也是欧亚大陆上最雄奇的建筑物；他在中国大陆的作品，则有北京的香山饭店。

据说北京香山饭店建成后，一位中国官员前去参观，他说："嘿，这种建筑我以前就见过。这是中国式的。"贝聿铭当时觉得，这位官员似乎不太高兴，因为他大概觉得既然请了你美国建筑艺术大师来，总该搞出个洋气派的东西，否则又何必非跨海越洋地请你来设计呢？贝聿铭当时听了却心中窃想——因为他设计香山饭店时所追求的，恰恰是西方建筑艺术与中国建筑传统的融合。他后来在一篇文章中回忆此事说："你知道，当时正值四个现代化开始之时，因此他们希望所有的一切都要'追上'西方，所以那位官员说的那句话并不含赞赏之意，不过我还是把它当做一种褒奖。"也许贝聿铭是误解了那位中国官员对香山饭店的评价，但他关于此事的回忆还是颇值得我们玩味。

其实，香山饭店的某些素质，是很洋的；例如前堂的设计，就体现着贝聿铭最拿手的准则："如果你要创造令人精神舒畅的户内空间的话，那你就得考虑各个立体结构之间那些空着的地方。"他的处理，是把那些"空着的地方"充分地化为了另一种自然有机的结构，手法是相当"现代派"，相当泼辣奇突的。这种大面积的"户内空间"，已成西方大型公共建筑必不可少的组成部分，但在中国传统建筑中几乎是没有的。不过贝聿铭对香山饭店的总体设计，却是基于这样的想法："我想看看能否找一种建筑语言，一种仍然站得住的、仍能为中国人所感受的并且仍是他们生活中一部分的建筑语言。"他并且希望以此给中国年轻的建筑家们一种启发，那就是"完全现代派的国际风格不适合我们，我们应该有自己独特的中国风格"。

贝聿铭在寻找"为中国人所感受的并且仍是他们生活中一部分的建筑语言"时，是非常下工夫、非常精心的。他说："我记得自己从小就有一个有趣的想法，即在中国人的观念中，窗户的作用和意义与世界其他地方大不相同，与日本也不同。""在西方，我们是个非常讲究实效的民族。窗户就是为了让光线、空气和阳光等等进入室内。因此窗户的设计必然是符合这一特定需要的目的，也总是从实用角度出发的……但是，在中国，窗户却是一幅图画。一个窗户构成一个景色，而这个景色则是由屋主来设计的。窗户的形状就是这幅画的框架。最理想的是每个房间外都应该有个花园。但花园不必太大。花园里的花草则不是现实的，而是自然世界的一个缩影。从这些窗户中人们可以看到这个缩影。这就是他们的生活方式。因此，在建造香山饭店时我就广泛地采用了这类形式的窗户。"倘有机会到北京香山饭店，你就会发现，那整座建筑的的确确体现出了上述设想的一切。我记得在香山饭店后面的庭园中，还有一处屋壁是一整面无门无窗无透气孔的素白墙体，紧临着池塘；那就是贝聿铭刻意设计的一个中国式"园趣"——他让园林工人在墙体前稍偏斜地栽植了一株形态古雅的老松，这样，在正午以后的日照中，便形成了一墙三树的美景——即松树本身而外，墙上树影亦成一树，水中倒影又成一树，蔚为奇观。

不过我们应当意识到，贝聿铭是一个美国人，一个美国建筑师，在美国几乎没有人不知道他，都把他视为美国自己国家最杰出的人物之一，他的建筑艺术并不是一种美国少数民族的分支文化，而是美国主流文化中最活跃的浪潮之一。你再翻回去读上面我所引的他的话，他是用"我们西方"如何如何和"你们中国"又如何如何那样的语气讲话的。对于中国人来说，他是一个窗外人。

在香山饭店里，我们中国迎来了一幅法国抽象派绘画大师赵无极的作品，赵无极早已归化法国，法国人都把他看做"我们法国人"，所以我们也不必因他的血统而非把他认作"我们中国人"。他的绘画作品中尽管确也浸透着某些中国传统绘画中的大写意及文人画的笔趣等等因素，但那作品总体而言却是一种西方绘画，一种法国绘画，所以，一般中国人未必能欣赏喜爱。他的画悬挂在香山饭店公共活动区，大概是觉得价值昂贵，而不少中国人又确有一种难以抑制地伸手抚摸展品的癖性，所以，饭店就用玻璃框把那幅画框压了起来——而赵无极的那种画，是不能压上玻璃来欣赏的，何况玻璃板对光影的反射映照，也使得人们无法辨清那幅画的真面目，据说赵无极本人和不少法国文化界人士，都对此大为遗憾而又无可奈何。赵无极的那幅画虽然挂在了窗内，但对中国人来说，也无异于一种窗外风景，并且是我们所不熟悉的窗外风景。

我们现在打开了国门，也敞开了国窗——我们要保持固有的审美情趣：窗是一幅画，窗体是画框，而窗外景物是画幅，我们要维护它的和谐，洁净与安宁；我们也要打破以往那狭隘的视野。盆景式的风景诚然是足可品味的，然而天然的田原，窗外的风物，更可怡我性情，富我心智；让窗外的阳光洒进来，让窗外的和风吹进来，让窗外的花香飘进来，让窗外的鸟语传进来，让窗外的润泽浸进来……而窗外人望着我们的窗户，他就更该感到是一幅既悠久又新镌、既独特又贯通、既深邃又明朗的中国画；窗内窗外，将有着更多的沟通与理解，合作与欢愉！

1991 年 4 月 19 日

高雅的话题

80 年代初,著名作家肖军在美国旧金山接受记者访问,有这样的一问一答:

记者:肖军先生,您对美国印象最深的是什么呢?

肖军:(照例以他中气十足的大嗓门)这儿的厕所真好!

肖军今夏告别了满布厕所的人间,到想必是无此设施的另一境界去了。肖军一生与虚伪无缘,且不善"外交式的幽默",他对大洋彼岸厕所的赞美,是真诚而郑重的。

中国人最恨自己的同胞"崇洋迷外",何况所崇所迷的竟是洋人的厕所,退回十多年,肖军说出那样的话,肯定要多添几场批斗会,说不定还会遭更酷烈的毒打。但说来也怪,即使是现今最以爱国和革命自居的人,也绝不见拒绝外国洋人造的小轿车、彩色电视机、电冰箱、组合音响、录放机、洗衣机、电动吸尘器……以至于电动剃须刀,就算上述那些玩意儿有几样他不喜欢不稀罕吧,洋式的即由抽水马桶和冷热水浴盆等组成的卫生间,则一定愿意享用。

这"东方闲话"专栏的开篇,就想闲话一番厕所,或曰闲话一番卫生间。也许有人以为这个话题怪诞不雅,窃以为这个话题不仅正经,而且颇为高雅——因为这实际是个文化问题。

在中国,即使是相当有知识的人,往往也仅仅把文化理解为诸如科学、教育、艺术、出版等具体的社会现象。你同他谈一本书,谈一出戏,谈一部电影或一个电视节目,他能意识到你在谈文化。你同他谈吃饭、穿衣,他的意识就模糊了,你同他谈拉屎、撒尿,他就简直不能想象那也是文化。当然,汉语中的"文化"这个词,按以往约定俗成的理解,一般只有两层意思,一是最一般的老百姓心中眼中口中的那个"文化",即"学文化"、"文化程度"等话语中所包孕的一层意思;另一层意思就是上面所说的社会对知识的具体运用以及所派生出来的种种形态。其实自从世界上出现了"文化学"这样一门学问以后，"文化"的第三层意思就主要指的是一个社会群体的物质生活和精神生活的状态，以及由此派生出来的种种习俗、心态、思维惯性及情感模式等相当宽泛的方面了。任何没有死亡的社会群体都不可能没有吃、喝、拉、撒、睡这五个至关重要的生存环节，因此，研究分析一番其吃、喝、拉、撒、睡的方式及由此形成的心态，当然是绝非庸俗荒唐的话题。这回我们限于篇幅，将拣出拉、撒两桩闲话一番。

中国人是重口腔而轻肛门的。其实从纯粹的生物学、生理学和健康角度来观察，则口腔与肛门的重要性难分高下，也并无荣耻之分。一个社会组织起来，本应对吃喝和拉撒同等重视，然而在中国，为吃喝所设的饭馆与为拉撒而设的厕所，其水平竟往往有天渊之分。清朝以前的情况，不大好研究，即以晚清为例吧，那饭馆的水平，恐怕绝对是世界一流的。据北京东兴楼原经理邹祖川的回忆，本世纪初该饭馆已达下列状况："路北一千多平方米，全是出廊大房；路南带戏台的庭院前面有十一间宽大的楼房和东西配房，后面有七间前出廊后出厦的四合大房……店堂中的桌面铺的全是挑花台布；餐具是象牙筷、银勺；碟碗等瓷器一律是蟠龙花纹，上面有'万寿无疆'字样。宴席上的冷荤，在顾客入座前就摆好，为了防尘，把各种冷荤菜碟放入银质带盖的圆盘内，客人入座后，方将盖打开……"这还没有说到各色亏中国人想得出做得出而且吃得掉的菜肴汤点。清人得硕亭的《草珠一串》中咏道：

酒筵包办不仓皇，
庄子新开数十堂。
庆寿客归收币帛，
喜筵明日候台光。

的确，无论是婚丧嫁娶，还是迎送往来以及别的什么屁大的事，都可以成为中国人大吃大喝的理由。从某种意义上说，中国文化的的确确可以概括为"吃的文化"。但不重视拉、撒并不等于没有拉、撒的文化。1887年，日本人宇野哲人来到北京城，在领略了北京叹为观止的茶楼酒肆和百味美食以后，他也为北京人的拉、撒方式而目瞪口呆，在《第一游清记》中有这样的叙述："北京城内之不洁，虽尝有所耳闻，然堂堂一大帝国之帝都，如此不洁则未必想象……街路行人繁忙场所，市民踞路之左右大便者，不遑胜数，其多者五人乃至十人，列臀为之，其为之者不以人见为耻，通行男女见之者不为怪。三十年前，日本亦有立于路旁小便者相连之所，然无白昼露臀大便者，于草间林下无人之地为之者有之，然未见于人群杂沓繁华之地为之者。大便尚然，小便则到处为潴，为行潦。路上人粪之外，骆驼马骡驴犬豚等之粪有之，粪秽叠叠，大道狼藉……"读者不要误以为这位宇野哲人是个蓄意反华的"倭寇"，他其实是个对中国儒教崇拜得五体投地的人物，他在参拜曲阜孔庙的孔夫子塑像时曾"不觉垂头……渺此小躯旋为伟大圣灵所摄取，恍不知有我，又不见有人"。他的游记中说了中国许多好话，但中国人的拉、撒方式和态度，确实令他惊诧莫名。

民国以后，像上述随地大小便的情景在都市里是减少或大体禁绝了。但公共厕所的水平，一直很低。1949年以后，以北京为例，公共厕所的水平虽有提高，但进展缓慢，最明显的是相当于东京银座的北京王府井，那南口唯一的公共厕所，凡进去过的相信都绝不会恭维，实在是有损王府井以及首都的名声。

西洋人在进入工业化时代前后，即已普及了抽水马桶。抽水马桶的发明，其意义绝不亚于电灯、电话、轮船、飞机，它使享用者的生活，发生了甚至可称得上是质的变化。一般认为现今抽水马桶的原型是英国人康明斯和布拉马设计的，他们于18世纪末各自获得了这项发明的专利权，两个多世纪以来抽水马桶虽然有一些小的变化和改进，而大体上仍根据原来的原理并保持原来的构造。抽水马桶和以抽水马桶和给排水系统构成的卫生间，成了西方现代文明的极其重要的组成部分。在西方，一所房屋的价值往往不仅取决于它的总面积和建筑装潢水平，而且取决于它有几个卫生间的。在西方报纸的分类小广告上，你会看到几乎每一个房屋买卖的广告上都不厌其烦地写着，他所卖的或他所想买的是带几个卫生间的。例如"四室一厅一卫"或"三室一厅二卫"，有时还标明"一卫一厕"或"两卫一厕"，即供洗浴的卫生间（也许仍有抽水马桶）和仅供大小便的抽水马桶间（有时单为来客准备）是分开设置的。西方的公共厕所，已绝无中国式的"茅坑"，都安装有抽水马桶。当然，有两种抽水马桶，一种是拉索式高水箱的蹲式抽水马桶，一种是扳钮或脚踩式低水箱坐式抽水马桶。前者较多地为亚洲人安装在亚洲地区，又被称为"亚式抽水马桶"，这或许是因为造价低廉，以及较易为习惯蹲"茅坑"的民众所接受——确实，长久取蹲式大便的人肛门匝肌的运动是一回事，乍坐到坐式马桶上往往不得劲，拉不出屎来。不管怎么说吧，倘若中国所有的私家厕所和公共厕所都装上了蹲式抽水马桶，那也是很不错的事。早有人说过，衡量一个地方文明程度的最准确的标志，就是那里的公共厕所的状况。我是很同意这一说法的。但国人中似有相当多的人听了这个说法便摇头不止乃至撇嘴生气。也许，衡量一个地方文明程度的标准还是应定为餐桌上的状况。那么，我们中国人只要摆出一堂"满汉全席"，即可放心等待"百夷来仪"，安享中央之国的尊严了。

在中国人的文化心态中，缺乏"卫生间的意识"，实际上也就是缺乏"给排水意识"，因为卫生间文化的核心是给水和排水这两项技术及其所关联着的需求愿望。

1982年我曾去过东北一所名城，到那里后主人为表示对我的情谊，照例采取了"宴请"这一中华民族的传统文化方式。宴请即吃美食是高于一切的。因此下火车后并不将我送到住地，更不问一问我要不要洗洗脸净净手，而是直接把我送到了该市最高级的一家餐馆，并直接将我引到该餐馆最豪华的一个单间内一张已摆得琳琅满目的大圆桌边。开宴了，一道道风味别具的菜肴川流不息地送了上来。但我这人太不争气，实在憋不住了，想方便一下，主人作难了，问服务员，说是楼内无厕所，得下楼去街上的公厕。无奈，一位主人陪我去了，那公厕在这里不再描写吧，我相信每一位中国读者都是极易想象的。我从公厕回来，望着闻着满桌的菜肴，禁不住一阵阵恶心。我百思不得其解，为什么造这么漂亮的一座楼房来大摆宴席，却可以不设一与之匹配的干净（我还不敢要它漂亮和舒适）的有抽水马桶的厕所？！

近几年，高档饭馆日渐增多，也开始附设卫生间了，但仍经常挂着"暂缓使用"的牌子，或仅供"外宾"使用，或虽可使用并且也安装了抽水马桶，但漏水、排水不畅或有水管而无水流。虽说如此，大多数嚼客似乎并不在意，饭馆方面则心安理得。

在许多风景名胜地，风景极美，点缀其间的饭馆供应极佳，但厕所却令人胆颤心惊，乃至无插脚之处。将供"外宾"（所谓外宾包括一等洋人二等海外华裔三等港澳同胞）的有抽水马桶的厕所（或仍无抽水马桶只较为干净）与供国人的保持国粹式"茅坑"的厕所分设，则是近一二十年最常见的中华文化现象，于今似乎达到顶峰状态。"外宾用厕"在无外宾或外宾较少时往往紧锁厕门。由于并不经常使用，在开启后又往往由于供水不足或排水不畅散出阵阵秽气，仍达不到国外一般公厕的水平。

我有一位画家朋友，家住北京一小胡同中的一座旧式小楼的二楼，常有外国人去他那里看画采访。他最伤脑筋的便是外国人停留时间长了要去他的"卫生间"，他家绝无"卫生间"，而胡同中的公厕又实在简陋，于是只好请客人到大立柜后去用他家自备的马桶（实际上是高腰痰桶，因为北京市很难买到南方那种真正的木质马桶）。客人常大吃一惊，并表示用那东西难以解决问题……这还都算不得什么。最有趣的是，他向有关部门提出来，他愿捐献一笔款子，将胡同内离他们院最近的那座公共厕所改造成一座有抽水马桶的镶白瓷砖的西式厕所，竟不仅遭到拒绝，还遭到嘲笑。嘲笑者所用语汇之一是"吃饱了撑的！"还真令人鼻酸——我们这个民族就怎么意识不到，惟其吃得撑了，才更应将口腔的享受移一部分到肛门的享受上去啊。难道我们世世代代永远这么在拉、撒上马马虎虎吗?

在过去，我们的卫生间简陋，也许确实是因为我们经济上落后，科技上落伍。最奇怪的是我们今天能够做到的事，我们也不去做。比如，我们直到如今所生产的刷马桶的刷子，都仍然只是那么一个刷子，不用时，只好靠在墙边，刷子毛湿漉漉地贴着地面。而世界上许许多多国家和地区，都早已生产出有盅状座子的马桶刷，那工艺是极普通的，道理也很简单，刷子不用时放置盅中，省得靠墙和接触地面。我们与人家的不同之处，就在于我们没有那样一种把厕所安排得精心些的想法。我们不是早就在餐桌上采取了"把各种冷荤菜碟放入银质带盖的圆盘内，客人入座后，方将盖打开"等等精心入微的措施了吗? 我们到头来总是重摄入而轻宣泄。这令人不得不联想到我们中华文化的其他方面，例如教育，我们崇尚教师说了算的填鸭式，而想方设法压抑学生的排遣宣泄的欲望；又例如对社会生活的组织，我们崇尚"有口皆碑"、"众口一词"，而不注重社会的"给水排水"配套工程。

西方的公共厕所问题也并不是都解决得那么好。比如在纽约，游人很难找到公共厕所，而且地铁中和码头上的公厕经常发生暴力事件，令人望而生畏。为了解决燃眉之急，有时只好去咖啡馆或快餐厅要一杯咖啡或冷饮，然后利用一下附设的厕所——那些厕所往往相当小，不过有抽水马桶、洗手池并有烘手机，足能较为舒适地排泄一番。巴黎也许是公共厕所最好的城市。那里有一个叫让－克罗德·德科的富翁在 1979 年发明并帮助市政当局设立了若干小巧玲珑的单人公共厕所。外形颇像扁圆的大罐头盒,壳体用铝合金制成,往壳体上的自动收费孔投入规定数额的法郎,门便自动开启。里面雅洁舒适,抽水马桶在你离座后自动冲水并旋转更换,附设的洗手池上还放着花瓶,并自动喷出香雾,有的还有轻柔的音乐伴奏。但规定时间是十分钟左右,如欲延长,则需在里面再次投币,否则厕门会自动开启。法人在美食方面不让我华人,而他们还顾及到"美便",算是在口腔和肛门二者关系上真正体现出了平等和博爱精神。

50年代,中国有一幅很有名的漫画,画上梳着"两把手"的慈禧太后扭着一位建筑师斥责说:"你真是花钱能手,我当年盖颐和园都没有想到利用琉璃瓦修饰御膳房!"画家那种反浪费的民族精神在今天看来也是值得尊敬的,·但也确实反映出我们中国人一贯轻视厨房的清洁舒适方便的传统——固然我们十分讲究餐厅的排场和餐桌上的色、香、味,可"君子远庖厨",是"眼不见为净"的。颐和园偌多建筑,最差劲的也确实是厨房。而厕所,就更提不上。纵观堂皇富丽的故宫,简直找不到一个可供肛门排泄享受的专门场所。外国古代也许同慈禧太后的观念差不多,但到了现代,人家最舍得花钱的建筑部位,反倒是厨房和卫生间。厨房是电器集中地(从电灶到冰箱到电热水器电洗碗机到红外线烤箱电动管道杂物切碎器……),卫生间是给排水集中地。为厨房和卫生间大力投资,乃至超过对客厅卧室书房的投资,已绝非笑柄而视为理所当然。我去过国外不少公寓楼,里面各单元的起居室、卧室、书房等大小有别,但厨房及卫生间几乎是一样大一样好的。而在我国,目前最新式的公寓楼中,厨房和卫生间也仍屈居最差的部位。而且绝大部分新盖的公寓楼中仍无带洗澡设施的真正卫生间。中西文化对比,这也算是重要的一例吧。

在卫生间问题上,我承认自己是"全盘西化"的主张者。抽水马桶,给水排水,热水洗浴,雅洁的瓷砖装潢,溶水的卫生纸,无臭有香的排泄环境,这种生活方式既由人类创造出来，就是全人类的文化财富。我们中国既入球籍，我们中国人既要进入现代文明，就没有理由不接受这一文化财富。现在的问题是我们尽管已为"外宾"和"首长"及少数其他人准备了西式卫生间以供使用，却还没有或很少有为公众谋卫生间之利益的意识，臭烘烘的茅坑还满布于中国各地而无大改进的前景。所以，闲话一番总不至于被认为多余乃至判定为忤逆吧！

据目击者说，"文革"中有一回肖军被"造反派"打得晕死过去，躺倒院中，后来他女儿肖芸来了，扶他坐起将他摇醒。他刚一清醒便紧紧与女儿拥抱，父女二人当着众人在那院中拥抱得不剩一丝缝隙，而脸上洋溢着绝无悔恨凛然不移的表情。这绝非题外话——请读者诸君想象那景象那表情。我以为中国的一切希望均在那象征性的父女拥抱图中。

1989 年 1 月

也是高雅的话题

曾写过一篇《高雅的话题》，所议及的并非贝多芬的交响乐也并非毕加索的绘画，而是中国的厕所问题。

这回要议论的是垃圾箱。

在我国各个旅游胜地，垃圾箱的设置相对而言是比公共厕所的设置及时而充分的。我们往往会看到一些在造型上相当费心思和用料上相当讲究的垃圾箱，比如说陶瓷烧制出的形如熊猫、福鱼的垃圾箱，而且在一些风景名胜地还摆得颇为稠密，结果不少游客拍摄的旅游纪念照上，就无意中都有它们出现，有时在湖光山色的背景中，还相当地突出，仿佛那拍摄者在取景时刻意将其作为一种美的事物加以容纳一般。

坦率地说，这类几乎无处不在的垃圾箱，我不仅不愿说它们的好话，而且简直必欲摒除而后快!

首先，这类垃圾箱几乎大都存在着实用价值不大或有限的弊病，它们的掷入口总是不够大，游客想往里面投掷废物必须离得很近，有时离得极近也还是没有把弃物投入其中的把握，因为那掷入口往往塞阻着先到的弃物，而其实那垃圾箱的腹中又并非饱胀而仍空疏；由于掷入弃物不便，很多游客便只好将弃物掷在它的周遭；我也问过游览地的清洁工人，他们在埋怨游客不能耐心将弃物准确掷入的同时，也抱怨那种陶瓷垃圾箱的沉重与笨拙，他们想倾倒那垃圾箱腹中的弃物不仅要花费很大的气力，还必得用钩子之类的工具才能掏刮干净，有时就由于游客的乱掷和倾倒的费力，时间不够，他们便只好放弃全部的清扫倾倒而任其一部分依然如故，这样恶性循环的结果，就使得一些场所的垃圾箱永无全体清爽之日。

当然有的这类垃圾箱掷入口也许还比较阔大，倾倒起来也还比较便当，但它们的造型，却几乎全都相当鄙俗而粗糙。记得前几年我在苏州园林游览时，就总有体积相当不小的熊猫啃竹子造型的垃圾箱强行跃入我的眼帘，由于设计者美学上缺乏创意，那熊猫过分写实而竹子比例又与之不称，加以成批生产工艺粗糙显得十分拙劣而颟顸，与周遭园林精致的亭榭雅秀的盆景全然不谐，实际上起到了一种丑喧宾而夺妍默主的破坏性作用，稍有挑剔眼光的游览者，便会遇之而觉触目惊心。

把垃圾箱设计得有独特的形状涂饰以鲜艳夺目的色彩图案，当然是一种善意的构想，我却以为属于有悖于建构一种雅致的旅游环境的画蛇添足式的行为。

垃圾箱的设置，我以为应遵循以下两个原则：一是要充分体现其功能性，特别是要让游客可以非常便当地将废弃物投掷其中，不能要求游客都有超凡的瞄准能力，更不能希求大多数游客都有不惜近距离乃至挨近垃圾箱往里塞置废物的高度公德心，当然相应也要让清洁工便于倾倒和处理垃圾箱。二是要尽可能使其不干扰游客对周遭景物的欣赏，从这个意义上说，垃圾箱的色彩越单调越好，形状越单纯越好，在游客眼中越可以从景物中忽略越好，它应当是一种游客遇到想扔掉手中废弃物时才去刻意寻觅的一种存在——当然最好又能使游客在这时发现它就在并不太远的地方。

记得在北京的一些公园中见到过海外同胞捐赠的一种铝合金框架的袋式垃圾箱，架上两只敞口尼龙袋并列，用文字标明一只供容纳可以再生利用的纸木制品，另一只供容纳不能再生利用的塑料制品及其他杂物，我以为那是一种既实用又颇能唤起游客环境意识并且也不碍眼的垃圾箱，但不知怎么的游人们总不能与那分类容纳的构想相配合，废弃物全然混淆不清，这种垃圾箱后来不知怎么的也就再也见不到了。又记得在不少旅游地见到在山路丛林之中，放置着一些拙朴的竹编筐，大敞口，深腹，旁有双耳可供提运，与周遭景物情调颇为相谐，功能性极强而清洁工收敛倾倒都很方便，想必造价也颇低廉，我以为那是相当理想的垃圾箱，其设计摆置者的用心，是大大高于优于那些熊猫或福鱼形的陶瓷垃圾箱的设计生产者的。

旅游地的厕所和垃圾箱的设置，以及其功能性和同周遭景物的相谐性的研究和讨论，也是旅游文化中的一个不可忽视的方面，希望我这篇短文不至于使一些高雅之士感到好笑，我可是实实在在地觉得自己是在议论着一个相当高雅的话题。

1992 年 9 月 29 日

四合院
——长篇小说《钟鼓楼》中的一大角色

北京还有多少个大体完整的四合院？不知道哪个部门掌握着精确的数字。现在人们开始认识到保护野生动物的重要性，1980 年玉渊潭栖落过几只白天鹅，其中一只被路过的青年工人用气枪击毙，曾引起过公众的广泛激愤。其实，国内野生天鹅的数字，大大高于明清以来建成的四合院的数字，但直到目前，对于粗暴地对待四合院的行为——毫不吝惜地加以阉割、毁损乃至拆除，除了少数研究古代建筑史的专家外，人们似乎大都心平气和。四合院，尤其北京市内的四合院，又尤其是明清建成的典型四合院，是中国封建文化烂熟阶段的产物，具有很高的文物价值。从某种意义上说，它是研究封建社会晚期市民社会的家庭结构、生活方式、审美意识、建筑艺术、民俗演变、心理沉淀、人际关系以及时代氛围的绝好资料。从改造北京城的总体趋向上看，拆毁改建一部分四合院是必不可免的，但一定要有意识地保留一批尚属完整的四合院，有的四合院甚至还应当尽可能恢复其原来的面貌。如果能选择一些居民区，不仅保护好其中的四合院，而且能保护好相应的街道、胡同，使其成为依稀可辨当年北京风貌的"保留区"，则我们那文化素养很高的后人，一定会无限感激我们这一代北京人的。

公元1982年12月12日，其中薛家正举行婚礼的这个位于北京钟鼓楼附近的小院，便是一个虽经一定程度毁损，有所变形，然而仍堪称典型的一个四合院。

所谓四合院，顾名思义，就是由四组房屋以方形组合而成的院落。没有到过北京四合院的人，顾名思义之余往往会产生这样的想法：这样的院落有什么稀奇呢？岂不单调、寡味？

其实不然。它在方正之中又颇富于变化，在严谨寡淡之中又蕴涵着丰富多彩。[1]

即以我们已经迈入并且初步熟悉了的这个院落为例。它是坐北朝南的。这是四合院最理想、最正规的方位。当然，在东西走向的街道胡同中，胡同南面的四合院，不得不采取与它相反而对称的格局。为了使院内最深处的正房成为冬暖夏凉的北房，

---

[1]　此文系作者获茅盾文学奖的长篇小说《钟鼓楼》中的一节。

南墙上往往要开出一排南窗，因而正房后面必有一个窄长的小院；如果办不到这点，或只好以南房为正房，或将挨着院门的一溜北房作为正房，而改变进门以后的院落格局。总之，在东西走向的胡同中，路北的四合院一般总显得比路南的四合院优越。据说当年路北和路南的四合院之间的差价，有时会相当惊人。如果是在南北走向的街道胡同中，或走向不正的斜街中——如离钟鼓楼不远的大、小石碑胡同，白米斜街一类地方，则往往采取这样的盖造：顺着街道胡同的走向设一个大门，进门以后，并不是四合院本身，等于留出一块"转身"的地方，然后再按东西走向街道胡同的格局，盖出院门朝南的四合院来，这样，里面的房屋便不至于也呈南北走向或斜向了；当然，也有按街道胡同走向盖的，这种四合院的价值，在当年不消说要等而下之了。

　　我们已经迈入其中的这个四合院不仅方位最为典型，其格局、布置也堪称楷模。如果说整个院落是一个正方形或准正方形，那么，四合院的院门绝不会开在正面的当中，它一般都开在其东南角（如果是与其相反而对称的那种四合院，则开在其西北角）。这院门的位置体现出封建社会中的标准家庭（一般是三世同堂）对内的严谨和对外的封闭。院门一般都是"悬山"式的高顶，顶脊两边翘出不加雕饰的"鸱吻"。地基一般都打得较高，从街面到院门，一般都设置三至五级的石阶，石阶终端是有着尺把高厚门槛的大门，双开厚木门的密合度极高，想透过门缝窥视里面，几乎是不可能的。当然门上都镌刻、漆饰着"忠厚传家久，诗书继世长"一类的门联。门上有门钹（类似民族乐器中的钹，故名。钹钮上挂着叶形的金属片，供来客叩击叫门）。门边往往有一对小石座，或下方上狮，或整个雕为圆鼓形。

　　明清之际的四合院，一般并不是贵族公卿的正式住宅；看过《红楼梦》就知道，贵族的府邸无论其规模、建制、格局都与一般单纯的四合院有极大的差别；只有当贾琏那样的贵公子要私纳尤二姐时，才会在花枝胡同（此胡同今天还在，距钟鼓楼不过数里）去找一个四合院暂住。一般说来，四合院是没有贵族身份的中层官吏、内务府当差的头面人物、商人、士绅、业主、名流，以及从平民中涌现的暴发户和从贵族社会中离析出来的破落户这类人物居住的地方。有时电影、戏剧和图画中把四合院的院门表现为顶上砌有琉璃瓦、门板上装有"铜钉"（即铜铸圆碗形门饰）、门上装的不是门钹而是狴犴含环，显然都是一种毫无根据的臆想。封建社会等级之森严，也反映在建筑格局的严格规定上，即使是贵族府邸，也不能乱用琉璃瓦和乱用门饰。以清朝为例，它的贵族有亲王、郡王、贝勒、贝子和公五等，而公又分为镇国公和辅国公，辅国公又分为"入八分辅国公"和"不入八分辅国公"。什么是"八分"呢？就是八种特殊的标志：一、朱轮（所乘骡马车车轮可漆成红色）；二、紫缰（所骑马匹可用紫色缰绳）；三、宝石顶（官帽上可饰以宝石）；四、双眼花翎（官帽上可饰此种花翎）；五、牛角灯（可用此种灯照明）；六、茶搭子（盛热水的器物，略同今日之暖瓶，可享用此物）；七、马坐褥（乘马时可用此物）；八、门钉（府门上可饰以"铜钉"，而钉数又有细致的规定）。由此可见，并非贵族住宅（至少不是贵族正式住宅）的四合院，其院门上是绝不能饰以铜钉的。

推开四合院的院门以后，是一个门洞，门洞前方，是一道不可或缺的影壁，影壁既起着遮蔽视线的作用，又调剂着因门洞之幽暗、单调所形成的过于低沉、郁闷的气氛。影壁一般以浅色水磨青砖建成，承接着日光，显得明净雅致。影壁上方一定都仿照房屋加以"硬山"式长顶，顶脊两端也有向上翘起的"鸱吻"。影壁当中一般都有精致的砖雕，或松鹤延年，或和合万福（雕出两对蝙蝠张翅飞舞），或花开富贵，或刘海戏金蟾……有的不雕图像而雕题字，简单的就雕个"福"字，复杂点的一般也不超过四个字，而以两个字的居多，如"吉祥"、"如意"、"福禄"之类。除了壁心有砖雕，有的四角、底座还有细琐的雕饰，或回纹草，或莲花盏，与中心图案题字相呼应。有的还在影壁右侧种上藤萝或树木，春夏秋三季，或紫藤花开，或绿荫如盖，或秋叶殷红，使人一进院门便眼目为之一爽。

我们所迈进的这个四合院，如今门洞中堆着若干杂物，门洞顶上还吊着一对破旧的藤椅——这对藤椅前面已多次提到，下面还要提及它的主人；门洞前面的影壁，中心的砖雕已被毁损，不过影壁右侧的一株樗树还在，而且已经有水桶般粗、三层楼那般高。

在门洞和影壁的东边，有一道墙，墙上有很大一部分是门；那四扇屏门虽是对开的，但每扇又可折叠为对等的两半，关闭时，便呈现出四块门板的形象；可以辨认出来，当年门板漆的是豆绿色，而每块门板上方，各有一个红油"斗方"（即呈菱形状态的正方形），每个"斗方"上显然各有一字，四个字构成一个完整的意思——如今已无从稽考。从这道门进去，是一个附属性的小偏院，现在为荀兴旺师傅一家所住，南边是两间不大的屋子，北边是里院东屋的南墙，东边则是与别院界开的院墙。当年这个小偏院是供仆役居住的。标准的四合院，一般都少不了这样一个附属性的小院。而小院的院门，不知为什么，绝大多数都采取这样一种轻而薄且一分为四的样式——也许，是以此显示出它在全院中地位的低微，并便于仆役应主人召唤而随时奔出。

从影壁往西，是一个狭长的前院。南边有一溜房屋，一共是五间，但分成了两组，靠东的三间里边相通，现在为京剧演员澹台智珠一家居住，靠西的两间，现在住着另外一家——我们下面还要讲到他们——值得注意的是，有一道南北向的墙，又把那两间房屋及前面的空地隔成了另一个小院，与现在荀兴旺师傅家的小院遥相对应。不过，那墙上的门换了一种样式，现在我们看到的是月洞门（即正圆形的院门；有的四合院则是瓶形门、葫芦门）。这个小院，当年是为来访的亲友准备的，那两间南屋，一般都作为客房。而院内的厕所，当年也设在那个小院之中，一般是设在小院的西北角上。小院的北面是里院西屋的靠墙，西面则是与邻院隔开的界墙。

外院澹台智珠所住的三间南屋，过去是作为外客厅和外书房使用的。民国以后，又常把最东头的一间隔出来，把门开在门洞中，并在靠近院门处开一个窗户，由男仆居住，构成"门房"（即传达室）。

里院外院之间，自然有墙界开，而当中的院门，则是所谓"垂花门"。它的样式，一反总院门的呆板严肃，而活泼俏丽到轻佻的地步——它的特点，是在"悬山"式的瓦顶之下，饰以倒垂式的雕花木罩，木罩左右两端的突伸处，精心雕出花瓣倒置的荷花或西番莲；整个木罩的雕刻、镶嵌极为精致，而又在不同部分饰以各种明艳暖嫩的油彩，并在可供绘画处精心绘制出各种花鸟虫鱼、亭台楼阁、瓶炉三事、人物典故……四合院中工艺水平最高、最富文物价值的部分，往往就是这座垂花门。可惜保护完好的高水平垂花门如今所存已经不多，而且仍在不断沦丧。我们所进到的这个四合院，垂花门尽管彩绘无存、油漆剥落，但大体上还是完好的，在相当大的程度上尚能传达出昔日的风韵。

垂花门所在的那堵界墙，原来下半截是灰色的水磨砖，上半截是雪白的粉墙，墙脊上还有精致的瓦饰；现在已经面目全非，不仅墙脊上的瓦饰早被人们拆去当做修造小厨房的材料，整堵墙比当年也矮了一尺还多——70年代初搞"深挖洞"时，砌防空洞的砖头不够，居委会下命令让各院都拆去了一些这类界墙以作补充。讲究的四合院，这里外院的界墙上，往往还嵌着一些透景的变形窗，或扇面形，或仙桃形，或双菱连环，或石榴朝天……我们讲到的这个四合院，当年也还没有那么高级。

垂花门的门板早已无存——据说当年的垂花门一般也不上门板；垂花门两侧原来也有一对石座，今亦无存；垂花门里侧当年有四块木板构成的影壁（可装可卸），也早已不知踪影；进垂花门后原有"抄手游廊"，即由垂花门里面门洞通向东西厢房并最终合抱于北面正房的门廊——到过颐和园的乐寿堂两厢，便不难想象其面貌，当然，它绝不会有那般轩昂华丽——现在除了北面正房部分的门廊尚属完整外，其余部分仅留残迹，而南面垂花门两边部分连痕迹俱无——"深挖洞"时因烧砖缺乏木料，那部分走廊的木质部分已全部捐躯于砖窑的灶孔之中。

当年四合院的里院，才是封建家庭成员的正式住宅。现在张奇林一家所住的高大宽敞的三间北房，是当年封建家长的住所，当中一间是家长接受晚辈晨夕问安的地方，也是接待重要或亲密客人的客厅，往往又兼全家共同进膳的餐厅；两边则是卧室。北房一般绝不止三间，我们所进入的这个四合院就有五间北房；不过另外两间一在东头一在西头，不仅比当中的三间较为低矮凹缩，而且由于已被东西厢房部分遮挡，所以采光也较差劲，这两间较小较暗的房屋叫"耳房"；有的四合院"耳房"还向后面呈 L 形延伸过去，当年一般是作为封建家长的内书房、"清赏室"（从摩挲古玩到吸食鸦片都可使用）的；讲究一点的四合院，两边耳房外侧又有短垣与外面断开，墙上嵌月洞门或瓶形门，门上并有砖雕横匾，对应地题为"长乐未央，益寿延年"或"西园翰墨，东壁图书"。现在，东西耳房当然都与张奇林家隔断，并且居住着互有联系的一老一少——我们下面也要描述到他们那独特的存在。

一般四合院，也就到此为止了。需要补充的，不过是东西耳房一侧，往往还设置厨房和储藏室。有的较气派的四合院，正房和耳房后面尚有小小的花园，最后面不是以界墙与邻院隔断，而是有一排罩房代替界墙的作用。我们进入的这个四合院，并没有罩房，而且与邻院隔开的界墙，仅与正房相距二尺而已。

当年四合院的东西厢房，是供偏房，即姨太太或子女孙辈居住的。当儿孙辈绵绵孳生，一个四合院已居住不下时，则只好另置新院移出一房或几房儿孙，不然，只能把外院的南屋也统统辟为居室，将就着住了。四合院的所谓"合"，实际上是院内东西南三面的晚辈，都服从侍奉于北面的家长这样的一种含义。它的格局处处体现出一种特定的秩序，安适的情调，排外的意识与封闭性的静态美。当年里院有大方砖砌出的十字形甬路，甬路切割出的四块土地上，有四株朱砂海棠——如今仅存一株，而且已大受损伤；不过，后来补种了一株枣树，现在倒长得有暖瓶般粗了。在正房的阶沿下，当年在石座上有两只巨大的陶盆，里面种着荷花。沿着"抄手游廊"，点缀着些盆花，吊着些鸟笼。如今这类画面也都消逝殆尽了。

我们已经知道，如今西屋靠北头的两间，住着正在为小儿子办喜事的薛家，南头那一间呢？门时常锁着，那位女主人并不每天回来，她另有住处。而东屋北头的两间，住着那位说话永远聒噪夸张的詹丽颖。南头那间住着一对年轻的夫妇，他们都是工厂的工人，这天上早班去了，所以暂且锁着屋门。

为了获得一个对今日这个四合院更准确的印象，我得提醒读者，几乎每家都在原有房屋的前面，盖出了高低、大小、质量不同的小厨房；而所谓"小厨房"，则不过是 70 年代以来，北京市民对自盖小屋的一种约定俗成的称谓；它的功用，越到后来，便越超过了厨房的性能，而且有的家庭不断对其翻盖和扩展，有的"小屋"已全然并非厨房，面积竟超过了原有的正屋，但提及时仍说是"小厨房"；因为从规定上说，市民们至今并无在房管部门出租的杂院中自由建造正式住房的权利，但在房管部门无力解决市民住房紧张的情势下，对于北京市民自 60 年代末、70 年代初掀起的这股建造"小厨房"、并在 70 年代末已基本使各个院落达到饱和程度的风潮，也只能是从睁一只眼闭一只眼到心平气和地默许。"小厨房"在北京各类合居院落（即"杂院"，包括由大王府、旧官邸改成的多达几进的"大杂院"和由四合院构成的一般"杂院"）雨后春笋般地出现，大大改变了北京旧式院落的社会生态景观。这是我们在想象今天北京的四合院面貌时，万万不能忽略的。

我们所进入的这个四合院，目前除了张奇林家通了自用的自来水管外，其余各家都还公用一个自来水管，它的位置，在垂花门外面的西侧。进入冬季以后，为了防止水管冻住，每次放水前，要先把水管附近的表井（安装水表的旱井）盖子打开，然后用一个长叉形的扳子，拧开下面的阀门，然后再放水；接完水后，如果天气尚暖，可暂不管，以便别家相继接水，到了傍晚，或天气甚为寒冷时，则必须"回水"——先用嘴含住放水管管口，用力吹气，把从管口到井下阀门之间的淤水，统统吹尽（使淤水泄入到旱井中），然后，再关上井下闸门，盖上井盖，这样，任凭天气再冷，水管也不会上冻了。对于当今这样用水的成千上万的北京杂院居民来说，这里所讲述的未免多余而琐屑，但是，几十年后的新一代北京居民们呢？如果我们不把今天人们如何生活的真实细节告知他们，他们能够自然而然地知道吗？即如仅仅是六十年前的北京，我们可以估计出来当时许多居民是买水吃的，但那卖水的情景究竟如何呢？可以方便查阅到的文字资料实在很少，我们往往需要通过老前辈的口传，才得以知晓其细节的。当年在北京卖水的大都是山东人，聚居于前门肉市街一带（那里的水井多且水质好），除了用小驴拉木质大水车往远处卖水外，还有用小木推车在近处卖水的。小推车两边各挂一只木桶，前面还有一副对联："一轮明似月，两腿快如风"。最有趣的是横批："借光二哥"。为什么不写"借光大哥"呢？因为都是山东人，忌讳"武大郎"。了解了这些细节，当年北京市民的生活图景，便凸现在我们眼前。我们从中所体味到的，绝不仅仅是当年人们的生活方式，而是一种特定的文化发展阶段的剖面观——是的，我们对"文化"这个词汇的理解应当超出狭义的规范，实际上，一定的生活方式，它所具有的所有细节，便构成一种特定的文化，不仅包括人们的文字著述、艺术创作，而且包括人们的衣、食、住、行乃至社会存在的各个方面。

现在我们走进了钟鼓楼附近的这个四合院，我们实际上就是面对着 20 世纪 80 年代初北京市民社会的特定文化景观。对于这个院落中的这些不同的人们的喜怒哀乐、生死歌哭，以及他们之间的矛盾差异、相激相荡，我们或许一时还不能洞察阐释、预测导引，然而在尽可能如实而细微的反映中，我们也许能有所领悟，并且至少可以为明天的北京人多多少少留下一点不拘一格的斑驳材料。

生活，在这个小院中毫无间断地流动着。1982 年 12 月 12 日这一天已经进入了下午。我们已经认识的那些人物远未展示出他们的全部面目，而新的人物仍将陆续进入我们的视野。世界·生活·人。有待于我们了解和理解的真多啊！

1984 年 5 月

垂花无语忆沧桑

一位女摄影家拿了一张黑白艺术照给我看，说："这是北京一个四合院的大门，你看，它多么独特啊！"

我拿过来一看，对她说："不对，这不是四合院的大门，这是四合院的二门，即称作垂花门的通向内院的那个门。我知道你为什么把它当做大门了——你会对我说：这就是在街上照的，不是进到一个四合院里照的呀！——是的，我相信这是你在街上对着如今的街门照下它的，但它确实不是四合院的大门，而是垂花门；我都能猜出来你是在哪儿拍的这张照，这是在现在的东四十条大街上照的，东四十条原是一个胡同，后来展宽为大马路，那个四合院在这过程中被拆去了前院，所以里面的二门就成为了现在的临街门。你仔细地看吧，这是一个垂花门，为什么叫垂花门？你看它有一个凸出的门罩，仿佛旧时轿子的轿顶，又像旧时床帐的帐顶，轿顶和帐顶上面，常垂下粗大的流苏，底端坠着标志吉祥的荷包，既给人以华美感，也给人以稳定感，我以为四合院的二门造型，便与此相通，在构造复杂雕刻精美彩绘鲜艳的大门罩下垂的木料底端，刻出倒垂的莲花或西番莲花朵的形状；你拿来的这张照片上的门，已然旧朽，油漆剥落，门罩破损，但其上的垂花，却依然默默地开放，引出我无限的遐思……"

女士告辞后，我玩赏那张垂花门的照片良久。我觉得这张照片浓缩着北京胡同四合院文化的盛衰沧桑。

以居民楼和绿地为主体的"小区生态"，正蚕食着老北京的胡同四合院生态，人们可能更多地把这当做一种社会生态，其实，这也是一种环境生态。昔日的北京胡同，大多数尽管与闹市相衔，却成为闹中取静的区域，喧阗的市声在胡同口即被阻断，长长的胡同里，或许会有"磨剪子磨刀"的吆喝，以及收旧货先生的打击小鼓的韵律，却在古槐的浓阴中愈发加深了悠长的宁静感。那主要由灰黑色墙体组成的胡同院落外观，也许会给不知底里的人一种单调的窒闷，其实，推开每一个院门，特别是四合院的院门，绕过或大或小的影壁，你马上就可以看到若干与屋宇回廊相得益彰的植物和宠物，如果你跨进了总是与大门错开的二门即垂花门，那么，照得你眼明的，很可能首先并不是建筑物本身，而是那些融汇着中华数千年琴棋书画文化精华的环境生态所营造出的情调韵味。

……你多半会看到四株对称的西府海棠或垂丝海棠，在仲春烂漫地开放着浅粉或绛红的花朵；当海棠花变为海棠果时，也许屋阶下盆栽的石榴花已展开了一种只好命名为石榴红的火一般的苞蕾；或许还有养在阔口黑陶盆中的白莲或红荷，又或是根根直蹿天宇葱绿宜人的石蒜……有的人家则是搭架养攀缘植物，或紫藤，或葡萄，或茑萝，或蔷薇，或金银花，或竟只不过是牵牛、丝瓜，在这些主要的植被左近，必还有许多的盆花、盆景，或直接栽培在檐下墙根的草花，如一串红、荷包花、江西腊、西番莲、夜来香、美人蕉、玉簪棒等等；特别讲究的人家，或许还种芍药、牡丹、太平花、芭蕉树；有的在书房前栽下一片翠竹，有的在屋后栽下梨、桐、枣、椿……至于槐、榆、柳、桑、杏、桃、柿，以及合欢、文冠果、迎春、榆叶梅等等更是四合院里的常客，与这些姹紫嫣红的植物共娱于主人的，一定还有若干的宠物，如波斯猫狸猫银猫，板凳狗卷毛狗看家犬，以及养在大陶盆中的龙睛、珍珠、七彩等肥胖的散尾大金鱼，还有挂在回廊上的各种鹦鹉八哥文鸟蓝靛颏红靛颏……也有养在瓦罐、葫芦中的小小昆虫：蛐蛐、油葫芦、蝈蝈……四合院的生态是一种私人自享的性质，因而朝精致化、个性化、风格化、静谧化乃至神秘化的方向发展，总体而言，是将生活的空间诗化，"庭院深深深几许"，"梨花满地不开门"，"庭树不知人去尽"，"密雨斜侵薜荔墙"……胡同四合院是与这些古诗的传统一脉相连的，其音韵宜用古琴筝琶相配，其气息宜用檀香百合香徐徐地氤氲，书房里该有线装书，客厅里应放红木明式座椅……

然而时代严厉地淘汰着胡同四合院文化，北京现在出现着越来越多的"小区文化"，这些以方块楼为特征的居民区不仅构成着与胡同四合院全然不同的景观，也改造着老北京人的生活方式，重组着人际关系，刮去北京人眼中旧的审美趣味，往北京人眼里填塞着西方传来的趣味和情调；即以新居民小区的绿地花圃而论，那生态环境应该说是比四合院的气派大多了，有的确实非常壮观、绚丽，但那是公众共享的性质，因而是朝着铺张化、一体化、范式化、意识形态化、交响乐化的趋势发展，总体而言，是将生活空间叙事化，这样的格调，是与大群的人晨练、成双成对的恋人旁若无人的当众示爱、卡拉 OK 与交谊舞的响亮音波，以及用水泥、石头、不锈钢等材料制作的硕大的雕塑相协调的。

人类的生活方式，总是要随着生产力的发展而不断演进的，传统的社会生态，包括环境生态，不可避免地要被瓦解乃至淘汰，北京胡同四合院的命运，便是如此。凝视着女摄影家拿来的垂花门照片，真不禁百感交集，是的，北京现在还残存着一些保留着旧时情调的小胡同，但严格意义上的四合院，已达到屈指可数的地步，能全面传达出我上述描绘的那种诗境的北京四合院，似乎已近乎绝唱。如今北京 40 岁以下的一代，他们中的绝大多数，都会把从狭隘胡同里早已沦为"杂院"的旧四合院里迁出，搬进新建"小区"的居民楼当做一桩美事，只有少数乃至是极少数徐勇式的人物，才对即将消逝的胡同四合院产生了一种难得的审美兴趣；可是就我看到的这类摄影家所拍的胡同四合院的照片而言，我总觉得他们的兴趣，与对父母以至祖父母脸上皱纹的欣赏相近，四川画家罗中立的"超级现实主义"绘画《父亲》是这种趣味的第一次强有力的显现，徐勇等的北京胡同四合院摄影是另一次冲击波，这种艺术现象本身，便宣告着胡同四合院文化的不可避免的衰老与走进死亡，我在一张旧垂花门的照片上，看出了昔日之美，也听见了挽歌高唱。

那垂花门默然无语，然而我相信它也有一个灵魂，它的灵魂，一定在忆念着无数的往事，那烟云般的往事，有几多人的悲欢离合、生死歌哭？有阳光下的欢笑，也有月影中的阴谋，有无辜的陨灭，也有罪有应得的下场，有平凡得令人起腻的苍白人生，也有惊心动魄的灵肉搏击……是的，它都知道，它记得，它默然无语，不负评价之责，不讴怨颂之曲……它会在哪一天，被什么人拆除掉？拆它的人，想必并不会有我这般的情思！

当然，一直有一些重视传统的人士，特别是建筑界、文物界、文学艺术界的知识分子以及某些有见地的官员，他们一再发出在发展北京市政建设的过程中，要尽量保护北京的胡同四合院的呼吁，这种呼吁也不是全无回应，并且北京也作了一些有关的尝试，比如在东城菊儿胡同中，拆了原有的已不堪其居的四合杂院，修建起低层楼宇式的"新型四合院",企图在私享空间的诗意美与共享空间的叙事风格之间寻求一种折中的平衡感,这一由著名建筑家吴良镛主持的设计显然是有创意的,不仅得到国内许多人士的首肯,也得到了国际上包括联合国有关部门的赞扬与表彰,北京许多有待拆建的胡同里的危房改造工程,都拟以菊儿胡同的吴氏设计为样板;不过,这一模式也引出了尖锐的不同意见,如有的批评家认为,这种折中的设计方案并没有保留住原四合院的生态美感,相反,却使杂居的人家之间有了更逼近的隐私被窥感,反不如干脆住进西式的居民楼区心里来得踏实;所以,胡同及四合院文化的保留与"移步",看来还需要做更多的研究探讨,同时也应允许与吴氏不同的设计付诸实验,在多样化的实践中摸索出更好的路数。

岁月悠悠,人事迭换,文明的演进,既从传统中生发,亦破传统之茧而飞升,一百年后,北京人恐怕只能到作为文物保留区的一小块地方去领略胡同四合院的原汁风味了。

面对垂花门照片,我喟叹,却并不悲伤。

1993 年 11 月 11 日

北京二十层公寓楼中

擦拭城市的眼珠

世界上有的城市是河城,比如英国伦敦在泰晤士河两岸发展,法国巴黎在塞纳河两岸繁衍,我国的天津则有海河穿过,今日的上海随着黄浦江东岸的开发,也将成为地球上的一大河城;世界上还有一类城市是湖城,它们的市区中有大面积的湖域,成为城市的重要景观,在我国,像济南、北京、芜湖等都是很典型的湖城。湖城里的湖,如同城市的眼珠,市民们应备加爱护。

　　提到北京的水域，人们一般首先容易想到近郊的颐和园昆明湖、圆明园福海等处，更远的郊区还有密云、怀柔、十三陵等水库，知名度也都颇高，但北京不仅郊区有湖，它的市区里也有湖，并且不止一个，特别值得我们格外珍惜的则是城市从城区西北迤逦相连一直贯通到中西部的一串明珠式湖泊，它们从北往南分别是：积水潭、什刹海后海、什刹海前海、北海、中海、南海。中海与南海由红墙环围，合称中南海，不仅全中国人都熟悉这个名称，在全世界这恐怕也是一个知名度极高的符号。北海则是一座著名的皇家园林公园。积水潭和什刹海却是无围墙的开放式水域，它们与周围的居民区浑然化为一体，从自然景观的角度来说，它们带有某种难得的野趣；从人文景观来说，它们附近虽然分布着某些昔日的贵族府第园林，但总体而言，却是最具平民风情的一隅。

　　我在北京什刹海岸边居住过 18 年，那正是我从 19 岁到 37 岁的青春岁月，我在那里走上工作岗位，娶妻生子，并且写出了我的成名作《班主任》，也是从那儿出发，有了人生中的第一回出国旅行的经验（是参加中国作家代表团访问罗马尼亚）。不仅是那里的人文环境哺育了我，什刹海这水域本身，也就是说，那里的自然生态环境，也滋养着我。在我的小说和随笔中，什刹海是一个经常出现的角色，这不是偶然的。

　　什刹海实在美丽。以往的什刹海，未曾浓妆，总是淡抹，野味十足，韵味天然。它的湖水并不清澈，因为其中有水草，有鱼蚌虾蛇，在前海东部入夏还有大片荷花；但那种深绿酽碧意味着生气盎然，有别于当年附近游泳池里的那种散发着漂白粉味道的透明纯粹。湖畔广植着垂柳，前海西岸还有大排的白杨，这里那里，还点缀着些桃、杏、榆、槐，并且可以找到春天开出喇叭花似的大花的楸树，以及银杏、海棠、榆叶梅、珍珠梅……在后海与前海之间的咽喉式相连通处，有小小的银锭桥，站在那桥上西望，晴天能看到西山青黛的剪影，那是曾被古人称为"燕京十六景"之一的"银锭观山"。记得湖畔的高树上，总是有许多的鸟窝，成群的燕子、乌鸦、喜鹊、麻鹊，以及羽毛华丽的叫不出名儿的野鸟出没在其间；夏夜，湖边还有许多蝙蝠在月光下剪刀般掠过……在那段岁月里，在什刹海边散步，或倚湖栏凝视潋滟的水波，曾化解了我心中许多的郁结，激活着我对真、善、美的追求热望，给予我许多的灵感，也带给我浓洌的美感，使我原本粗粝的心灵，增添了细腻与温柔……

这些年我也还时不时地去一下什刹海。什刹海变了。它有点浓妆艳抹了。它被开拓为了北京的一个新的旅游景区。在前海西岸恢复了"荷花市场"。"荷花市场"是我以前也未曾赶上过的以售卖茶食酒饭为主的一种大众消闲排档，从几十年前传下来的资料看，它有热闹多彩地展示民俗的一面，也有杂芜混乱的一面；当年该市场是季节性的，未能解决好废弃物的处理问题，所以东岸曾垃圾粪便堆积如山，形成一大城市痼疾。50 年代初，新中国曾派出解放军战士与市民们并肩劳动，疏浚湖泊，清除岸上的污秽，广栽树木，砌岸修栏，才使什刹海去痼弃疾，变得分外地清爽明媚。现在搞市场经济，恢复"荷花市场"，展拓什刹海的旅游优势，这都无可厚非；但是看来依然未能解决好市场与旅游的废弃物处理问题，特别是如今时兴塑料袋、瓶、饭盒及易拉罐与一次性筷子，还有一些纸质软包装与冷饮包装，这些东西有的商家不能很好地处理，有的游客乱抛乱掷，有关部门的管理也跟不上，今夏出现的局面，从北京电视台在《今日话题》节目里所拍的镜头来看，那真是到了惨不忍睹的程度！湖中的"白色污染"已经从西到东连成了片，杂乱的废弃物边上泛着浊沫，湖里基本上已没多少鱼类，因此水草过分旺盛，淤积的水草弄得湖水缺氧，这就更妨碍鱼类的生存……《今日话题》的编导请我在节目里亮个相，说上两句，我在镜头前说：城市的水域，尤其是湖城里的开放性湖域，好比是城市的眼珠子；我们都懂得人身上的眼珠子有多么重要，一个人美不美，很大程度要看眼睛长得怎么样，眼神儿是否清澈动人;如果一个人眼珠子浑浊了,甚至于长上了"萝卜花",那还能叫美人吗?不仅不美,还严重影响其健康地生存! 我呼吁人们像爱惜自己的眼珠般珍惜什刹海,一定要从我做起,从今天做起,擦拭这城市的眼珠,还它一个明眸亮睛!

我曾去过丹麦的首都哥本哈根,那是一座倚海的城市,水域似乎不足为奇,可是那里的市民对城里的两个淡水湖却极为珍爱,湖中绝无人们抛掷的废弃物,湖岸上设置着若干造型上并不起眼,然而使用起来绝对方便的垃圾箱(这种设计是对的,我们的垃圾箱往往设计得触目惊心却又难于将弃物不脏手地顺利、准确投入),无论大人小孩扔东西一定是扔进那里面,没有扔不准确掉在箱边,或废弃物爆满而仍无人来收走的情形;那湖里总是游弋着些天鹅、野鸭,湖畔花坛里有些优美的圆雕,周遭的古典式建筑倒映在湖水中,情调典雅。但是我要说,哥本哈根的这两个城内的开放式淡水湖形状未免过于规整,无论站在哪个方位,两个只隔一条马路的湖都一览无余,哪里有我们北京什刹海那么富于柳暗花明、移步换景的沛然情趣!哥本哈根人能把他们城市的眼珠时时擦拭得雪亮耀人,我们北京人怎么就不能把我们的什刹海保持得晶莹鲜丽呢?

1996 年 9 月 9 日绿叶居

与台湾客同游恭王府花园

下午去皇冠假日饭店。

前天约好,到这里与刘国瑞先生小聚。刘国瑞先生是台湾《联合报》的副社长、联经出版社社长,我们第一次晤面,是 1991 年,那回他带领一个很大的台湾出版界代表团,来广州举办台湾书展,他们约请了若干大陆作家,在书展期间相见;第二次与刘国瑞先生谋面,是今年一月份在台湾,我应邀参加由《中国时报》人间副刊举办的"从40年代到90年代——两岸三边华文小说研讨会"期间。前天家里人接到国瑞先生电话找我，唤我接电话时，说是"大概是个安徽人找你"，确实，国瑞先生的"国语"里，带有浓厚的安徽音。今天到皇冠假日饭店，见到国瑞先生，才知道他是和他太太来大陆私人度假，他们说已游览过若干北京著名的名胜古迹，我便问他们去没去过北京的一些"小风景"，如恭王府花园、五塔寺、智化寺……他们竟茫然无知。于是我便建议他们去恭王府花园一游，我领他们坐上出租车，只用了一刻钟左右便到了位于柳荫街的恭王府花园。他们大吃一惊。国瑞先生说，看了这里，台湾所有的花园都"无足观"了！恭王府花园确实值得细细品味。花园的正门，是中西合璧的风格。恭王奕䜣，是清末最早与西方文化碰撞的中国人之一，他内心里对西方文化的容纳度，究竟如何，有待考究。但整个恭王府花园，应当说基本上还是中国文化的结晶。有人说这座花园在乾隆时期已经存在，曹雪芹彼时很可能涉足过，《红楼梦》中大观园的构思描写，很带有这座花园的痕迹，我以为此说甚有道理。

一进花园正门，便有一座巨石赫然障目，这便是"独乐峰"，此"峰"两厢都是土山，"山"上小径曲折，怪石嶙峋，藤木翁翳，循此"山"可迤迤逦逦绕园一周，我引国瑞伉俪往东登临了一小段，把一块长条石上的刻字指给他们看："易曰：介于石，不终日，贞吉。"彼此不禁相对一笑，这是当年奕䜣对自己夹在"后党"与"帝党"之间，并且也夹在"中"与"外"之间，应付之苦，却居然还"玩得转"的复杂心态的写照。

"山"西则有一段砌成"长城"的模样，有城门洞，进园时也可从此长驱直入，门洞上题曰"榆关"，我对国瑞先生说，这大概体现出了园主"不忘本"的意识——他们的祖先，毕竟是打破了山海关，才到中原来建立了王业的，所以，有时候园主会从这里雄赳赳地跨"关"入园，也算是重温灿梦。

园中有多处水域，园西的水池最大，池中有颇大的水阁，而所有水域，又由小渠连通，《红楼梦》中的大观园，也是如此——当然更大、更美。

园中的大小建筑群，全由长廊、抄手游廊、穿山游廊、上山坡廊等回环连缀，最东面的建筑群由几个院落重叠构成，或垂花门里绿竹成丛，或月洞门内芭蕉抽叶，或廊前盆莲怒放，或檐下紫薇盛开……我们穿行其中，国瑞先生感叹不已，我对他说："倘若没有鸦片战争、甲午海战……由着这种文化自足地发展，今天中国的人文景观，又该如何呢？"那是难以想象的。我们一起进入了大戏台，这是一个室内的大戏台，复原为了当年的模样，所有的木柱、檐板、顶棚，全手绘着古藤绿叶紫花的图样……据我所知，这是目前北京仅存的一个复原保护起来的贵族室内大戏台，我对刘氏伉俪说："也许，这种《红楼梦》里所描写过的文化，是过分地灿烂，特别是过分地精致了，已达于'烂熟'的程度，所以，终于走到了其尽头……现在我们只能在北京的这种很特殊的地方，才能一睹其光华了，它已成为了一种'文物'，也就是'化石文化'了！现在你走在北京的大街上，扑进你眼里的，很可能都是些西式的高楼，还有麦当劳、肯德基……快餐店，鳄鱼、苹果……专营店等等西方商业文化的符号……嗳，一部中国的近代史，该怎么说呢？"

当我们在相当于《红楼梦》中的"凸晶馆"前的平台上，坐在石桌边的石墩上歇息时，国瑞先生也不禁感慨地说："台湾还不是一样！到处是西方文化，特别是美国文化的斑斑痕迹！"他又说，他前些时在台湾电视中看了这边拍的电视连续剧《北洋水师》，竟浮想联翩起来……刘太太一旁笑说："他原来是几乎不看任何肥皂剧的，这回真是个例外！"国瑞先生告诉我，他是安徽庐江人，指挥甲午海战的丁汝昌正是他们家乡所出的名人之一，且从祖上论，丁、刘两家还有姻亲关系；他说这部电视剧对丁汝昌以理解和肯定为基调，令他很能认同；甲午一役，淮军从此垮掉，中国从此窝囊到底，实令人百年后仍扼腕气结……

我们离开恭王府花园时，不知他二人如何，我心中竟颇恋恋不舍。

我虽定居北京，说实话，如无一定的机缘，也是很难真抬起脚往这座花园里迈的。

这是座神秘的花园。

在观月平台下面由太湖石砌成的山洞中，石壁上镶着一个福字碑，上面镌刻着康熙的玉玺印记，这是一桩非常奇怪的事，无论是伪造康熙御笔、错把伪造品奉为真品，都是死罪，而倘若那是真的御笔，又怎么能不置于大堂正室，或至少置于园中最显要的地位上，却胆大妄为地将其安放在一个阴暗的山洞里！这不也是死罪吗？为什么以谨慎著称的奕䜣对此却安之若素，不以为悖逆？又为什么无人告发？为什么竟听由那康熙御笔福字碑就那样一直地留在了那个古怪的位置，直到今天？

忽然又忆起，1992 年冬，在瑞典斯德哥尔摩的郊区，盖玛雅家中——盖玛雅是一位汉学家——她丈夫是一位建筑学家，因而他们的藏书里有很大一部分是有关建筑艺术的书籍；我从他们的书架上，取下一本足有五寸厚的大书来，随意翻看着，那大概是一位德国人写的关于中国古代园林的书，在那本书里，我惊喜地发现，有一章是专门讲恭王府花园的，写书人考察这花园时，大约已在 20 年代，花园已废，水池枯涸，荆榛遍地，屋宇的瓦隙中都长出了小树，但从书上他拍出的照片看，这座花园依然充满了难喻的魅力……

一座花园的兴废，浓缩着许许多多的况味，不仅是历史、时代什么的。

一座花园的神秘性，昭示着我们许多的憬悟，也不仅是关于命运、气数什么的。

哪天再去探访？独自？偕谁？

1994 年夏

护城河

我住的这栋二十层高楼下面有一条小河，是北京残存的一段护城河。

明成祖在五百多年前修建北京城时，为了万世的基业，不但将城墙宫殿苑囿修造得宏伟奇瑰，也精心挖掘灌注了护城河——围绕全城有一圈相当宽阔的，围绕皇城又有一圈虽不怎样宽阔却相当深的，然后围着紫禁城又有一圈气象森严的。经过五百年的风云变幻，如今紫禁城的那一圈仍完好如初，北京市民俗称为"筒子河"，因为形状过分规则，如长筒状，故有是称。皇城周遭的护城河消亡得最厉害，如今北京有"北河沿"、"南河沿"一类地名，但那里已是宽阔的柏油路面，早不见护城的河道；北城地安门再迤北有一座后门桥至今残迹仍存，但桥下亦无河道水踪；或许天安门前金水桥下的一道流水勉强可算是它的一点余泽，但细加探究，便可发现那道绿水颇有点"来无影，去无踪"的味道，其"来处"或勉强可解释为从中南海经现中山公园东流，而"去处"呢？至少到今"南河沿"一带，便消失在现北京饭店脚下，据说是顺暗沟继续东流了，那"暗沟"得有多长呢？因为从那里迤东，至少得二十里外，才又有河道出现。北京的古城墙基本上已荡然无存，我现住的这栋楼对面的二环路和立交桥，便应是昔日北城墙和安定门城楼所在，现在唯一能唤起一点发古之幽情的，便是楼下的一道护城河。现在北京原最外圈的护城河，南段、西段、北段尚有踪迹可寻，东段基本上无存，而所存各段中，以我们北段最为完整。

前些年北护城河大力整治了一下，不仅疏浚了河道，镶铺了河壁和河岸，近沿岸栽种了许多花草树木，因而堪称一景。昔日河中应倒映着不动的箭楼城堞，以及缓缓移动的驼队骡车，如今却倒映的是塔楼和板儿楼，以及快速滑驶的汽车长龙。

夕阳西下时，我常到护城河边散步，这时就想，护城河护城河，其首要的功能，应是护城，但这河自始掘至今，究竟发挥过几次护城的功能？

当年雄踞紫禁城中的统治者，也许没想到过最坏的情况，就是敌兵蜂拥城下，"黑云压城城欲摧，甲光向日金鳞开"，那时护城河便是一道逼使他们付出惨重代价的障碍，即使他们终于渡过头道护城河，甚而攻破了城墙，突进到市区，那么皇城外的护城河便又是一道陷坑，按最不济的状况推想，敌兵竟又窜入了皇城，那么，要攻入紫禁城又谈何容易，如今到北京游览故宫的人，无妨到那"筒子河"边现场替攻方设想：在没有重武器特别是没有枪炮的前提下，所有宫门前的桥早已变成收拢的吊桥，城堞间又万箭齐射，你怎能强渡那并无斜坡状河岸只有陡直河壁且深不可测的"筒子河"？想来当年建城的统治者和为其效劳的建筑师按这样的逻辑推想下去，一定会发出骄傲的微笑——纵使敌军已突进到"筒子河"边，一道护城河仍可令他们手足无措，而这样必定也就争取到了时间，使京畿以外"起兵勤王"的救兵得以赶到，从而转危为安！

在安定门护城河段边漫步时，我脑海中常闪现出些刀光剑影，硝烟云梯，以及泅水的士兵、城堞间的射手，耳边便仿佛响起了兵器撞击的铿锵和攻守双方的嘶声呐喊……但稍一定神，便不禁自笑，因为我那些玄想，竟丝毫没有历史的依据，而尽是些从拍得未必高明的电影和电视连续剧得来的印象。

仔细一想，历史不仅无情，而且颇具揶揄意味，明成祖建都时哪里想得到，到朱氏王朝覆灭时，不仅那巍峨的城墙丝毫不成为屏障，三圈护城河也简直不起一点作用——当李自成率领农民起义军进逼京城时，不仅没有一支吃皇粮的军队愿意为皇帝死战，不仅紫禁城城堞上绝无一支射向来师的飞箭，所有护城河上绝无一架收拢的吊桥，就连靠拢他身边向他报告消息的官吏也再无一个，结果崇祯皇帝只好在大惊讶大苦闷大绝望中带着唯一的一个忠于他的老太监，慌忙从紫禁城北门跑进煤山（现景山公园），吊死在山脚下一棵槐树上。

李自成骑着马，率领起义军入城了，何需攻渡护城河，座座桥梁任他跨，扇扇城门为他开——不止一个官吏像生怕赶集晚了便得不着便宜货似的跑去打开城门"迎降"。

后来清军打入了山海关，那关门也是由门里的人主动打开的——守将吴三桂降了清，多尔衮率清军挺进被李自成起义军放弃的北京城时，那护城河亦毫不成为其障碍，什么泅渡攻桥一类的场面丝毫没有。

清代衰败时，1860年英法联军攻打北京，1990年八国联军攻占北京，虽在效区有一些官兵和民众进行了抵抗，但任何一道护城河也都没有起到阻挡来犯者的作用，倒是叶赫那拉氏先是在1860年随咸丰皇帝，后在1900年作为掌握实权的太后，带着光绪皇帝越过三道护城河，逃往了热河与西安。

护城河真令人惊讶。至少北京的护城河如此，而且还颇有点令人哑然失笑。

殚精竭虑、不惜工本地设计修造出来，难道只是为了静静地倒映一点城堞角楼，为一些垂柳的根系提供比较充分的滋养吗？

不知怎么我又忽然想到了十七八年前的事。我原籍那穷乡僻壤有个小青年非常荣幸地当了兵，而且分配到北京卫戍区，更进而分派到一个在中央首长经常出入的场所执行保卫任务的连队，他在休假时来看过我一次，兴奋地提及江青会见他们的情况，说江青一身戎装，精神抖擞，同他们一起开会"批林批孔"、"批大儒"，又"批三项指示为纲"，说他们连队已成为江青"亲自抓的一个点"，江青有一次还拍着他肩膀问："小同志，要是有一天修正主义翻天，你们怎么办呀？"他和同伴们的回答声震屋宇，那答案可想而知。当时报纸上也确实刊出过他们那个连队开展"革命大批判"时种种报导，动辄半版、大半版，或一整版，或一整版外还要"下转第×版"。"筑成反修防修的钢铁长城"、"一千年一万年永不变色"，是其中出现频率最高的词句。

我想同乡小伙子他们那个连队即使够不上"钢铁长城",总也够一条令"修正主义"望而生畏的"护城河"吧。回想那时江青一伙的气焰,确乎也够称万丈,他们甚至连普通平民一点点私下里的窃议——那真是够驯顺够窝囊的——也大张旗鼓、磨刀霍霍地搞起了"清查",他们的权势,真有点铜墙铁壁、万丈护壕的外观,巍巍乎、泱泱乎不可一世。但事隔不过一年多,到1976年10月,江青为首的"四人帮"竟"嗵喇喇大厦倾",似乎是一个晚上乃至仅是几个小时,也没怎么动用众多的人力,便被"解决"了,他们的"铜墙铁壁"呢?"护城河濠"呢?丝毫不见踪影。记得在当时人们大体上是自发举行的敲锣打鼓、喜气洋洋的欢庆游行的人潮中,我也看到了小战士他们那个"江青抓的点"的队伍,这还并不令我惊讶,令我感到心中滋味无法形容的是,在迎面而来的一支队伍中,有分明是曾给江青写过效忠信——不止一封,而且最后一封离那天游行的时间也不算太久——的人,也在那里"随大流"地扬臂高呼口号,当然不是向江青致敬的口号而是相反的口号。江青诚然是"多行不义必自毙",而那些分明如蝇逐臭般萦着她的人,一旦她被送进了秦城便转眼加入了"义师",甚而率先尖声发出了对她的付伐,这世相又该让人如何评说呢?

至少北京这座古城,那已不复存在的城墙和依然残存的护城河昭示了我们:墙也好,河也好,再高再厚,再宽再深,终究抵挡不住历史的脚步,更拗不过客观的规律,既调动不起人性中的忠贞也淘洗不净人性中的奸诈,到了关键时刻,无须坝坍河枯,坏事也罢好事也罢,竟都可能如风过花谢或日吻花开地自然出现,你痛心也罢欢欣也罢,没拆的墙会静静地立在那里,没填的河也会默默地继续流淌,它们的价值,也许到头来仅仅是构成了一道风景。这是真的,北京远郊的万里长城,不是正召唤着成千上万的世人"不到长城非好汉"吗?而倘若你有兴致,也无妨到我家附近的北护城河边来遛遛，几百年来这条河边并没有出现过什么攻守的浴血战斗，而今垂柳依依，玫瑰艳红，正好让你享受一番宁静与安适。

1991 年 8 月 19 日

北京安定门绿叶居中

雅在情调

富而思雅，在所必然，富不能自然生雅，而且往往还不知不觉中就了俗，所以欲生雅，先要识雅。

所谓雅，很难用物质标准衡量；当然做一个"雅皮士"，需有中等以上的收入，才会有趋雅的闲情逸致，也才有享雅的经济实力，不过有的人收入不高，却雅得可以，有的人富甲一方，却俗得惊人；因此我们无妨这样说：雅是一种不能完全用金钱换取的东西，是文化修养的体现，也是个人情趣的提升。

且不说人的内在雅，且说人所处的外在环境的雅。

有的人，很喜欢到麦当劳、肯德基一类的洋式快餐店去吃东西，除了觉得那汉堡包炸鸡块味道别致外，据说那原因之一，便是店堂布置得雅致悦人。其实这类快餐店，在国外应算作最俗的场所；我曾问过一位年轻的女郎：为何喜欢这样地方？她说，喜欢厅堂中摆放的那些绿色植物，比如她座位旁边的散尾葵——又名凤尾竹——就给她一种优雅的感觉；这里不去分析洋快餐店通体而言是雅是俗以及"洋为中用"后的感觉变异问题，这里只想说：那年轻女郎对绿色植物的感受，确是一种雅识。

在建筑物中摆放真的植物，而且主要不是为了观花，是为了观叶赏绿，这在我们中国有着悠久的传统——当然，与西方的不同之处在于，我们更注重植株的根茎枝的形态，并常辅之以山石草苔的点缀，追求一种把大自然缩小为一幅立体图画的趣味，构成叫做盆景的专门装饰物；但正如中国盆景作为一种人类文明，西方人可以安然享用一样，西方人在现代合成材料配置的室内空间中摆放纯自然状态的绿色盆栽植物，以营造雅致情调的做法，当然也属于人类文明的一个分支，中国人的"折而赏之"，亦属正常。

室内环境的装饰布置，是一门大学问，这里只略谈一下绿色植物的点染问题；由于我们所身处的室内空间——无论是公共空间还是私人空间——都越来越趋于：一、构成材料的高科技化和高复合化；二、非自然界色彩的大量使用；三、活动其间的人的穿戴越来越像游动的花朵；因此，返璞归真的盆栽绿色植物的较大面积的点染，便构成了一种化解俗气的雅物——它们营造出一种情调，滋润着都市人往往不免焦躁的心灵。

以追求情调的眼光检视我们对家庭或仅是一个人的私人空间的布置，就会发现有时我们虽然舍得投资，却没能进入雅境；这里提出几点建议，仅供参考：

* 除非万不得已，不要使用假花假叶来布置你的私人空间；

* 即使有经济能力在自己家中摆放切花，也不要因此放弃绿色观叶植物的盆养或水养；而且在切花与绿色植物的数量对比上，一般应把握后者大于前者的原则；

* 在你的水族箱中栽种适量绿色水草无疑是恰当的，但在你的真绿萝上点缀塑料假花之类的做法则是俗气的；

* 除了对你豢养的猫、狗、鱼、鸟乃至乌龟、蜗牛之类的宠物有感情，以及对能为你开出艳丽喷香的花如君子兰、茉莉等植株有感情外，还一定要培养对绿叶的感情；因为在现代人所置身的都市"盒式"室内空间中，绿叶几乎是唯一把高度程式化的紧张生活与美好大自然联系起来的心灵符码。

当然，人们对室内空间的雅致情调的追求会因个性的不同而导致不同的营造方式，但豪华昂贵并不一定构成雅，雅是一种情调，作用于心灵，又将心灵的美感进一步外化，这应是所有雅人的共识。

1993 年 5 月 21 日

朦胧美

家居布置中，光的把握极为要紧。有些人很注意家具摆设的色彩情调，知道应把握一个求雅的原则，却没有"雅光"的概念。

有的人对白天的室内光尤其没有讲究一下的念头；对夜里的用光，也只停留在照明的实用层次上，以为越亮越好，或者不刺眼便是雅了。

先说夜晚的照明。功能性的用光，自然应有足够的亮度，但有不少家庭喜欢在屋顶安装吊灯，由于我国新建住宅尤其是高层单元房一般内跨度都不足三米，一些家庭花了不少钱，买了吸顶灯或吊灯，安装在天花板正中，由于比例上往往不谐调，一打开，"四面光，亮堂堂"，那灯显得过大、过亮，其效果是华丽而颟顸，实不足取。最近的一个潮流，则是把家里的天花板，修造得和饭店宾馆的酒吧间一样，一般不再用吊灯，而用了若干凹缩进去的圆筒，内安射灯，从情调角度衡量，当然比前例好，但仍有个内跨度太小而比例失谐的问题。再说，私人空间也不宜去向公众共用空间看齐。

比较而言，不用顶光，而用若干台灯、落地灯、射灯，在居室中巧妙而适当地切割为若干不同的光区，除了发挥其功能性的作用——如读书、写作、制作、进餐等等而外，灵活启闭它们，营造出不同的光影效果，特别是在消闲的时候——如看电视、促膝谈心、倚在沙发或安乐椅上冥想，等等——那光调可以朦胧一些，构成一种温馨、安谧的情调，应当说，是一种把私人生活雅致化的明智安排。

白天，光似乎是个不花钱便可以尽兴享受的东西，而且有的人可能会问：白天的家居用光，难道也有一番讲究吗？对于雅人，那自然也是要讲究一番的．当然，首先是窗帘的选择和运用；窗帘的功能性和装饰性一般人都注意到，但不仅仅是把握室外光的泻入度，也不仅仅是作为一种装饰，我们完全可以用细腻地品味生活的热情，把我们居室四季窗外的光照规律熟悉起来，加以精心设计。比如我有一位朋友，他每到星期天，便会把客厅的窗帘完全拉开，让外光斜射进来，把他家一盆龟背竹的叶簇剪影，投射到墙壁上，构成一幅巧妙的水墨画——而且是随着时间推移，有所变化的"动画"；当然，随着季节的不同，他会适当移动那盆绿色植物，以保持"构图"的优美，并把窗帘的开合度与开合曲线，配合着加以调整。安装百叶窗并注意经常调节，不消说是白天寻求"雅光"的最简便方式，但要懂得，一般而言，百叶窗保持乳白色或灰色为宜，彩色及有花里胡哨的图案的百叶窗，很难取得雅的效果。

如果白天在家中不做什么事，特别是节假日想寻求一份宁静与懒散，那么，即使室外赤日当空，运用窗帘或百叶窗把室内的光影弄得朦胧一点，也很利于心的憩息。不过各人性情不同，"雅光"也有不同的雅法，只要别忘了光是我们生存中的重要伴侣就好。

1994 年夏

乡村风

当然，我们都怕俗。这些词儿听起来就让我们浑身不舒服：市俗、庸俗、鄙俗、恶俗……但是，村俗呢？

不要把村俗等同于民俗。民俗指的是迄今仍留存于民间的某些风俗，而村俗指的是一种带乡村气息的风格。

村俗，换个说法，也就是乡村风。

城市人的住宅，大体而言，都是工业化的产物，不仅"硬件"免不了钢筋水泥、角钢玻璃，就是屋里的"软件"，也充斥着化工合成的制品，更不要说城市人那越来越被微电子技术宰制的处境了。

于是，在工业化产品的裹挟中，以适度的乡村自然物品点缀都市的空间，便成了一桩雅事。

在豪华的五星级大饭店中，在极尽人造辉煌之能事的大堂一侧，却摆放着地道的乡村磨盘和石碾，当它们映入客人们眼中时，一般来说，会令人不觉心中一爽，磨盘和石碾引出一种意向，就仿佛有一股稻禾的香气，伴随着潺潺溪流的声响，沁入人的心灵，化解着焦虑与隐忧。这样布置的创意，当然比一味地往欧式的华堂中摆放中式的硬木鎏金宝座胜过几筹。

一位文化人的客厅，通体是现代派的风格：具抽象意味的家具，精致的玻璃器皿，配色夸张的壁纸与地毯，大盆的绿叶植物……可是在一角，他用暗红的丝绒铺敷台子，顶上用两个射灯照向台子上的一个摆设，那摆设是什么呢？是一个从农村收集来的竹编罱泥箕！也许有人难以与他的审美趣味认同，但也可能会有比较多的人能从他的这种追求中，获得一种轻松、谐谑的感受，唤起一种对久违的乡村熏风的向往。

在充满顶级名牌商品的购物中心，偶尔摆上一只乡村的木桶，里面随意插入一捆真的麦子；在最高档的饭馆，在墙柱上吊些农村的竹篮，甚至直接吊些大蒜辫子、玉米串子、辣椒串子；在出售最新潮的电视音响的地方，在一角放一只藤筐，里面扔些新采的松果；在雅致的卧室里，也无妨摆一只农村的石臼，里面储些从乡野采回的野菊花头；当然在书房里更可以点染若干乡俗野趣，比如葫芦瓢、扁担钩、鸭盆鹅凳……甚至在电脑旁放一个小小的蝈蝈笼，也会生发出意想不到的雅趣。

在个人的装束上，当我们在非正式场合穿消闲服时，不仅女士用未经加工的石子或算盘珠一类东西作项饰可能会很妩媚，男士用粗麻线打的腰带替代名牌皮带也会令人觉得相当潇洒。

城市人，尤其是大都会的上班一族，他们在拼命谋求现代化的成功感时，往往会突觉失落、孤寂与焦躁，如不愿用堕入庸俗、鄙俗、恶俗的手段麻醉自己，那么，适量地在自己出没的都市空间中刻意地营造出一爿乡俗，确不失为一种滋养身心的妙着。

怪不得有人宣布，都市生活已步入了"后现代"，而后现代的特征，便是"同一空间中不同时间的并置"，我想，其实也是都市风情与乡村风味的杂糅。

1994 年夏

合璧

玉璧当然是美好的东西，有两种玉璧特别讨人喜欢，一种是极为纯净的，显得晶莹高洁，品味醇厚，令人怡然爽目；另一种则是所谓的"合璧"，就是它由两种以上的美玉天衣无缝地构成，或质地相异而组合巧妙，或色彩不同而相映生辉，显得华贵富丽，奇诡神秘，令人联想无穷。

以"合璧"的风格创造出具有浓郁特色事物，也是一经久不衰的时尚。

自本世纪以来，在我们脚下的土地上，就出现了许许多多所谓"中西合璧"的东西。比如建筑，拿上海来说，一方面，随着各西方强国在那里建立租界，各式各样的西方建筑，接二连三地开始涌现，另一方面，在租界内外，一些中国的军阀、官僚、工商业主，也陆续盖起了一些投资不吝的房屋，他们一方面向往西方人的高楼大厦，特别是西方建筑外部线条的错落花哨与内部设施的完备考究，另一方面，他们又留恋中国文化传统中的诸如对称、环合、中庸、静穆等因素，故而他们让设计师造出了一些"中西合璧"的建筑，这些既有西洋风味，又分明体现出中国本土情调的楼宇，从本世纪二十年代以后，越盖越多，直到本世纪中期，方才暂告一段落。且不说那些军阀官僚盖出的华宅别墅，像上海城区处处皆可看到的所谓"石库门"房，我以为便是参照西方"公寓房"又结合中国古民居楼而设计出的一种"合璧"，中国共产党便诞生在这样的一栋房宇里。我们还都很熟悉的遵义会议会址，那所楼房，也是典型的"中西合璧"，在北京，现在仍保留着不少这类的建筑，例如张自忠路东头路北的原北洋政府官邸（当年"三·一八惨案"即发生于其大门前），便是一个很大的"中西合璧"建筑群。

在本世纪八十年代以后，随着中国大陆的改革开放，"中西合璧"的建筑风格又一次成为时髦的东西，比如这十来年里北京所建成的星级饭店，有许多诚然是"全盘西化"的，如长城、昆仑，但王府饭店和台湾饭店就都是"合璧"的造型，看上去别有一番味道；再如贵宾楼饭店，外观上无甚特色，里面却是极富巧思的"合璧"设计，我特别欣赏它那二层自助餐厅的构想，整个厅堂装修与家具设备虽是欧陆风格，向南的一面却有意搞成通体的落地窗，恰好让窗外早有的一段皇城红墙显露无余，典型的中国宫廷红墙黄瓦映入厅内，令人不禁眼睛一亮，这"借景"真是太棒了！其实"中西合璧"又何止体现在建筑上，像服装设计、日用品外观设计与包装设计、乃至个人的发型、修饰，都可以用"中西合璧"的方式，取得摄人心神的效果。而"合璧"的方式也未必只是"中西"的"合"，"东方风情"与"西方风情"可以合，"北方风格"与"南方风格"也可以合，还可以有无数的"合璧"法：阿拉伯与古希腊，黄土高坡与蓝海碧波，中国书法与马蒂斯，巴拿马草帽与京剧脸谱……在"合璧"的创意中，设计者与享用者，都能获得极大的身心快感。

1994 年夏

绿叶爱你

现代化的建筑，越来越多地采用非原质、非传统材料，室内的装修，也越来越呈现非自然的人工创意，特别是进入电脑时代后，大量的电子装备更强化了"非自然"的人造环境那冷冰冰、硬棱棱的外观，于是，在现代化的办公室及其他公众共享空间，在个人的居室中，摆放引进于自然的植物，便成为非常重要的一环了。

当然，在建筑物内摆放植物，是自古以来便有的一种做法，中外皆然。但我们如果细细推敲一下，便不难悟出，以往这样做，大体而言，其目的，只在增加美感，也就是重在装饰趣味上。以中国传统的室内布置法为例，其特点为：一、主要摆插花与盆花，也就是说，重在观花；有时也摆观果的植物；如果是观叶的，大多也看重于那叶子怪异如花；二、所摆放的植物，体积大多不会太大；三、对所摆放的植物，常常刻意改变其自然形态，意在与精雕细镂的室内人为环境相谐调，也就是说，摆放植物的目的不是为了引出对自然的尊重与向往，而是为了令植物臣服人类、取媚人类。

现代人的审美趣味与以往的不同之处，其中很重要的一点，便是在对大自然的狂暴劫掠中，由于派生出了严重的环境破坏与环境污染问题，遭到了大自然的严厉报复，于是憬悟：所谓伦理关系，不仅存在于人际之间，也存在于人与大自然之间，首先存在于人与动物与植物之间。虽然人类的文明一方面体现为创造出了雄奇诡异的非自然景象，如城市、高速公路、摩天楼、桥梁、运动场，等等；另一方面，却越来体现于对大自然的尊重与亲和，首先是对现存动植物取舍上的慎重与重在保护。

所谓"向大自然索取"的口号，遭到越来越多的人厌弃，现在人们更乐于听取"与大自然为友"的呼吁。这一现代人的觉醒意识，落实到室内布置这一细微处，便体现为越来越时兴在室内摆放观叶植物，而且往往并不追求那叶片有什么如花的色彩，最好就是单纯的、原生态的鲜绿，又往往愿意摆放体积大的绿色观叶植物，其潜意识里，不消说是在竭力地将大自然延伸、融汇到极端非自然的人造环境中，以求得心灵的慰藉与平衡、愉悦与安适。

当然，由于光照等原因，室内难以存活所有的观叶植物，因而有识之士，早就开始选培耐阴易养的盆栽观叶品种，现在这样的一些观叶植物也逐渐地进入了中国的新建筑和居民住宅之中：巴西木、凤尾竹、大叶绿萝、合果芋、大海芋、龟背竹、红宝石、常春藤、朱蕉、万年青、鱼尾葵……人们在室内养它们，完全不是期待它们开花结果，而是为了享受它们那一派自然的绿意。

我曾写过一篇小说，题为《我爱每一片绿叶》，那是以叶喻人，表达我的一种人文情怀。现在我进一步意识到，就我个人与我家所养的观叶植物来说，比如我与客厅里那株高过人头、盘成图腾柱的大叶绿萝之间，其实是完全平等的关系，我们同是大自然的产物，又恰在一个时空里存活，我们的生存都很不容易，却也都很为自己的勃勃生命而自豪，而欢悦，因此，不仅应该说：我爱绿叶；也应懂得：这绿叶，它也爱我，我们的相亲相爱，体现出了我们各自的生命尊严，同时也整合出了一个较为完整的自然生态。

虽然我已在以往的某些文章里，提及过一定要在室内摆放绿色观叶植物的当代时尚，却还都没有上升到自然伦理的高度，现在我痛快地倾诉出了这一见解，希望能获得较多人的共鸣。让我们都能获得绿叶的爱意！

1994 年 10 月 28 日绿叶居

瀑布灯

猴年伊始，呼啦圈风靡了大江南北，报刊上已有不少文章报导，评述了这一浪潮，我不再凑热闹。

从小姑娘到妙龄少女到芳龄少妇直到中年女士的嗜穿健美裤即紧身踏脚裤，似也已蔚成风气，且日渐火炽，因我身为男士无缘体验其妙曼所在，因而也不拟置喙。却想说一说所谓的瀑布灯。瀑布灯，就是一串串长长的、时常是密聚的、由均等体积的小电灯泡构成的灯幕，在大多数情况下，其悬垂下挂的态势令人不禁想起山崖间的瀑布，故许多人这样称呼它。瀑布灯犹如呼啦圈、踏脚裤一样，也已风靡了大江南北，成为一种时髦，因为瀑布灯是装饰建筑物的，其景观当然比呼啦圈和踏脚裤更炫人眼目。

回忆起来，瀑布灯在北京的被广泛采用，也仅是近一年多里头的事儿。街上许多的个体饭馆，都极重视瀑布灯的招徕功效，一般的做法是把瀑布灯如帐幔般从饭馆的屋檐下扯挂到马路边的行道树上，老远望去，便萤萤然充满温馨的情调，构成绝佳的无声广告。问过一位个体饭馆老板，据他说，瀑布灯投资少，安装易，而效果好，比搞霓虹灯省事多了，也比安装些红红绿绿的彩灯显着雅气。问他从哪里学来的，他说是广州。

倘仅是小饭馆使用瀑布灯装饰，倒也罢了，有趣的是许多中高档饭馆，以及饮食业以外的商店、商场，也一传十、十传百地挂起了瀑布灯，残冬里有一天我从建国门外五星级的长富宫大饭店外面经过，发现它那楼体下部也大量地使用着瀑布灯装饰，而初春的一天有位从国外来的朋友请我到也是五星级的贵宾楼饭店相聚，发现那大堂里也从穹顶上挂下一串串的瀑布灯，与那人造水瀑布交相辉映，这么说，造价低廉、耗电节能、安装便当的瀑布灯，是既入寻常百姓家，也成王谢堂前燕了！

四月里同《中国旅游报》的朋友共赴河南参加洛阳牡丹花会的活动，从郑州出发绕着登封少林寺抵达洛阳古城时已然夜色苍茫，正在面包车上问往何处下榻时，车窗前出现了一座由瀑布灯装饰的楼房，原来那恰是我们要去的友谊宾馆，正是瀑布灯之下，必有栖憩之所也。

回到北京后，听到有人说，瀑布灯其实同肯德基炸鸡、麦当劳巨无霸汉堡包，以及呼啦圈、踏脚裤等等货色一样，都是西方一些发达国家早已有的东西，呼啦圈在美国大兴其道是 60 年代的事儿，踏脚裤的样式早在 70 年代盛行喇叭口裤（现在已绝迹，何日"死灰复燃"？）时已经出现，而瀑布灯，至少 80 年代初我在日本东京、大阪访问时便已见到，当时很觉新奇，几疑是银河落于九天。

议论到瀑布灯之类的东西来源于西方国家的时候，有人便颇为忧心忡忡，那忧虑也确实不无一定的道理，例如瀑布灯这一景观，它通常在夜间格外引人注目，灿灿烂烂固然不乏某种美感，但你也挂我也悬，时髦固然都很时髦，却由此模糊了建筑物本身的轮廓气质，特别是一些本应突出显示我中华民族特色的场所，让瀑布灯那么一搅和，便真不知身在何处，或者叫做身在某种世界性的浅薄文化之中，失却的不仅是民族感地域感，也失却了历史感与必要的艺术性哲思。

但我们置身在这样的一个时代，几乎没有哪一个民族哪一个国家甘于、敢于完全自我封闭不与世界上其他民族、国家沟通，随着科学技术的发展、传布、流通、普及，种种世界通行的东西越来越多，大如玻璃幕墙的高层建筑，小如各类家用电器直至电子表签字笔，而种种世界通行的生活方式也超越意识形态、社会制度、民族特点而浸润于全球，例如享用工业生产的软饮料、快餐食品，穿西服扎领带或穿茄克衫蹬运动鞋或穿牛仔裤与套头 T 恤，乘 TAXI 乘电气火车或乘喷气式客机旅行，等等，等等，要想百分之一百地保持本地域本民族历史上传统上所固有的生活方式而不受一星污染一丝外部世界干扰，那即使是起圣人于地下，恐怕也难以做到了。当然目下的中国大地上远有比瀑布灯更撩得人心乱的事物景象，比如信用卡和自动取款机，比如股票市场和赛马彩票，诸如此类，真可以用"惊心动魄"一类的字眼来形容。

但四月份在河南，却也在少林寺外的大广场上见到了上千少年人练古老的少林拳法功夫的壮观景面，可见呼啦圈也未必能将我中华古老的锻炼方式"呼啦"扫荡；而在洛阳、开封、郑州等竭力仿照西方模式装潢排场的三星级宾馆中，也时时见到穿着中国蜡染布衣装足踏中国式绣花布鞋的洋女娇娃，与中国女士们的踏脚裤装束相映成趣，可见时髦风尚，也还是在中外之间双向流动的；倘若西方国家并不害怕中国餐馆的迅猛蔓延，不畏惧北京烤鸭天津包子之类的中国食品将他们"赤化"，那么我们似乎也应当对肯德基的炸鸡或麦当劳的汉堡包心平气和，"西洋快餐穿肠过，中华佛祖心中留"，实不足虑。

在三门峡黄河游首游式的大典上，我们见到了灵宝县农民表演的"百佛顶灯"，一百位身披袈裟的和尚每人头顶一只燃着蜡烛的白瓷碗，在鼓乐声中排出种种阵式，忽成莲花宝座，忽成卐字法轮，最后竟急步穿动一锤定音为巨大的"佛"字，气势磅礴，法相庄严，据说此节目曾到广州演过，偌大一个体育场，当灯光忽闭，而百佛所顶的百盏蜡烛闪烁出那巨大的"佛"字时，虽是率先得香港（究其据是西方）文化影响最劲的广州人，亦哄然为这地地道道的土得掉渣儿的来自河南黄土坡黄河畔的纯粹的民族文化展现而尽情喝彩……

想到"百佛顶灯"一类的民族文化活瑰宝的虎虎生气，再望见都市街衢的一串串瀑布灯，我不仅不忧心忡忡，而且深为自己生活在这样一个既能与民族历史相亲又能与外来文化相通的开放性时代而庆幸！

1992 年 5 月 30 日

广场鸽

报载，为迎接国际奥运会检查团的到来，北京市在国家奥林匹克中心的广场上放养了四百只广场鸽，想必那四百只广场鸽将长期在那里飞翔栖息，并将逐步扩大数目，说实在的，如无上千只鸽子，要想形成一种生态景观，那是难以达到目的的。

广场鸽在海外是一种最常规的城市生态景观，不仅西方发达国家几乎处处皆然，就是一些第三世界国家，也早有广场鸽的放养。唯独我国，以幅员之大，城市之多，广场之无城不具，以及众多广场面积的宏阔，却长期处于不仅无鸽而且禁鸽的状态，实在也太有点不合群儿了。

在我国的报刊上，倒是多年来已发表过无数的图片和文章，介绍海外广场鸽与建筑物交相生辉以及游人给广场鸽喂食的情景，在电视荧屏上此类画面更屡见不鲜，因此，近些年来不少国人由观而慕，由慕生情，由情生意——提出了"为什么我国城市广场不放养鸽群？"的问题。据说有关部门几年前也曾试图在北京天安门广场放养鸽群，终因反对意见占了上风而作罢。

反对放养广场鸽的诸条理由中，最主要一条是鸽粪污损古建筑的弊病，这确实是一个不能回避的问题，海外一些地方，如意大利威尼斯圣马可广场，法国巴黎协和广场等，每隔几年，就需耗巨资为古建筑物洗刷鸽粪污迹；再进一步分析，像意大利、法国等处的古建筑，一般外观都呈灰色，鸽粪或白或灰或黑，洒落其上，对比度不算太大，不那么触目惊心，但我国的古建筑，特别是北京的红墙黄瓦，如洒落上鸽粪，那是虽点滴而必显露无遗的，就是过一段时间清除一次，耗资多少且不计，技术上完成的难度恐怕也比较大。据此，在我国放养广场鸽宜慎重的原则，应可成立。

但利弊相衡，城市广场鸽的放养，利方面的分量，还是远超于弊的。且不去说外在的效应——使城市公众共享空间充溢着活泼欢快、温馨迷人的气氛，等等；这里要强调的，是广场鸽对缓解都市人心灵中的紧张感、焦虑感、压力感，起着难以言喻的重要作用。记得我去冬在瑞典斯德哥尔摩市中心的"森特儿广场"，那里有个白发苍苍的老妇人，弹奏着一架自己用小车推去的电子琴，忘情地高唱着圣诞歌曲——她是在推销自己的歌曲录音带——歌声中，不惧冬寒的鸽子围绕着现代派风格的玻璃方塔翻飞……这时我与陪我游览的瑞典朋友都不禁驻足倾听仰望，瑞典朋友告诉我说："我的心是最冷最硬的，可是你听，你看……我们为什么不能更相亲相爱呢？"我望着那些旋飞的鸽子，那些落地理翎的鸽子，那些爽性大胆落到闲坐在广场长椅上的市民肩上的鸽子，那些围绕着穿戴着色彩鲜艳夺目的瑞典儿童，从他们手中抢食撒下的饼干屑的鸽子……我的心也变得格外温柔，格外宁静。

愿有更多的中国城市广场，放养起温驯美丽的广场鸽来！

1993 年 4 月 3 日

颠狂柳絮

有客自远方来，赞扬北京的绿化，我也为北京的日渐美丽而自豪。北京绿化过程中，有个植物选种问题，选种得当的例子很多，比如大量栽种的单瓣月季——有人说那就是"金达莱"——从春末一直能开到冬初，艳红地成为分布于各地的"花毯"，煞是悦目；再如大量引进的美国常春藤，初夏便爬满各处墙柱，叶片肥大，碧绿滋润，到了深秋久不落叶，而变为殷红，美如春花；还有银杏、白蜡杆、小叶枫等行道树的配置，一入秋季，叶片陆续变为金黄，与蓝天灰瓦红墙构成北京独特的古都情调……

但北京的绿化也有败笔，选种也有失误，大量柳树的品种选择不当——它们入春后扬出的柳絮太多太密，而且一直飞扬到仲夏，久不停息；也许开初是以为这种

柳树的绵绵柳絮可以营造出一种诗意，"岂是绣绒残吐，卷起半帘香雾""粉堕百花
洲，香残燕子楼，一团团逐队成球……""几处落红庭院，谁家香雪帘栊？"但现
在的北京人很难有当年大观园中的众才女咏诵柳絮词的雅兴，他们的办公室里飘进
了团团柳絮，使桌面办公系统不堪其扰；他们的家里蹿进了球球柳絮，无旮旯不去，
清除起来极为麻烦；柳絮在露天场地的肆虐，更使得呼吸道感染和过敏反应的疾患
增加。

我对这颠狂柳絮的厌烦，自使用电脑以来，与日俱增，因为我的书桌与外界虽
有两层窗户相隔，但柳絮仍不断光顾，有时就大摇大摆落在键盘上，随手一拂之际，
很可能就破坏了程序，造成紊乱。

柳絮本来应是柳树生命力的延续，但现在它们对柳树并不起种子的作用，柳树
的繁殖一律靠扦插，柳絮除了给一些诗人以诗思外，我真是想不出它还有什么积极
作用，而诗人们对它也不尽是恭维，"颠狂柳絮随风舞，轻薄桃花逐水流"就不是什
么好话，而且柳絮还带累得桃花也挨了批。

柳絮的颠狂，我深有体会。它本轻浮，却又往往故作高深，一副"好风凭借力，
送我上青云"的架势，但当风向变化时，它又卑躬屈膝，往原来不屑一顾的方向去附庸，
就是钻人家的裤裆、滚人家的床下也在所不惜；它貌似千军万马，不可一世地劫掠
春光，其实无足轻重，"空挂纤纤缕，徒垂络络丝"，并不能取得浮云蔽日般的效果；
它污染环境，散布"流言"，上下搅和，唯恐天下不乱；它还嫉贤妒能，好好的池塘，
它非落些不三不四有时更白腻腻一片的"闲言碎语"，好好的纱窗，它非粘些不伦不
类有时更蛛丝般惹人嫌的"道听途说"；它织不出个完整的逻辑，自我矛盾百出，而
又恬不知耻……

听说北京柳絮过多过密而且飘散期过长的问题，已引起有关方面的注意，有的

专家已经提出用新的树种来逐步取代现有的柳树，保持用其绿化的优点——如着绿早、树冠大、落叶晚、枝条美……而避免其扬絮颠狂的缺点，据说那样的也属柳树一类的树种并不难引进到北京。作为一个北京市民，我殷殷期待着。

1993年春

墅而无别

现在无论翻开哪一份报纸，多半会看到房产广告，许多是发卖别墅的广告，有时那广告会占到报纸的一整版。广告上的词句这里不抄亦不论，只说说看广告上所附的别墅图的一点感想。就我看到的多数外观图而言，一是有千篇一律之感；二是虽有某些不同，但基本上是照抄国外的定式；三是所挪用的定式，往往已是滞后五年乃至十年以上的旧案。我也曾到某些正开发建造的别墅工地现场参观过，这里且不评论布局、施工、别墅建筑的实用功能等方面的优劣，只说我的一种感觉，那就是——墅而无别。

所谓别墅，严格的含义，应是指与房主人常居的房屋有别的，建筑在风景区或农村的供度假消闲的建筑；因此，别墅是社会富裕阶层的屋子，虽别墅与别墅之间可能存在着很大的差价，但别墅既是富而再有的产物，因此，它所应有的第一特点，便是与众不同。中国的文化传统中，别墅文化是很发达的，现在各地保留的一些名胜景点，便是以往达官贵人的别墅，如现在的北京动物园，原是清末的"三贝子花园"，现仍存在的畅观楼，是那个时代留下来的"中西合璧"式别墅中的一个成功的例子；再如南京中山陵附近的"美龄宫"，以及报上不断传出拍卖消息的庐山别墅；它们的最大特点，便是不仅与众不同，与邻也不同，都是很有个性的建筑。

当然，现在别墅的含义，显然是大大地展拓了。一位儿子在美国定居的朋友有一天高兴地对我说："我儿子他们一家住进自己的别墅啦！"并拿出彩照给我看。我一细问，她儿子并不是另有房屋，那照片上的花园洋房就是她儿子一家日常居住的地方，因此她所说的"别墅"，实际上是"像别墅那么样的单栋的漂亮房子"的含义。在世界各国中，相对而言，美国人住得是最好的，有相当多的美国一般民众，他们不是住在许多家合住的公寓楼中，也不是住在相连的单开门的住宅中，而是拥有和别人家以绿地隔开（并不一定有篱栅）的单栋的房屋中，我在美国去过许多这样的居民区，高级的，房与房间的绿地比较大，每栋建筑的风格对比度也比较大，房后还有游泳池或马厩；一般的，房距较小，建筑风格对比度也较小；也有一些房屋面貌雷同的居民区；但那一般都不是美国人的别墅。我曾应邀去美国人的湖边别墅度周末，那也不是多么昂贵的别墅，但其建筑风格，是相当别致的。

中国目前开发的别墅区，似多属于类似上述美国居民区的建筑群，而且多半是建筑物比较雷同的那一种；这也有可以理解的一面，我们毕竟是发展中国家，开发别墅房产，主要还不是为了真让许多人入住，主要是希望有人买去当做不动产——不住，而准备在机会到来时转手赢利。对于盖别墅的经济意义我不是通人焉敢妄论，但我总是在想，别墅这东西盖起来可是不容易再拆改的，它构成着一定的人文景观，也就是说别墅是一种重要的社会文化沉积物，如果开发得过急、过热、过粗，那么，我们有可能留下一片又一片毫无建筑美学意义的"洋楼"，让后人望之摇头用之不甘拆之又不易，那可是得不偿失啊！

墅而无别，也就取消了这种建筑在美学上的意义。我们中国有许多不同时代的私人别墅，虽历尽沧桑，易主无算，其建筑美学上的光彩，至今熠熠生辉；西方如1936年赖特设计的宾夕法尼亚州匹茨堡的"流水别墅"，因其强烈的美学创意，已成为经典作品。我当然不是说现在房地产公司所开发的别墅都应达到这样的水平，但把建筑美学的思考放进开发的运作中，应不算苛求吧！

1993 年秋

穷凑合

一座相当漂亮的新楼拔地而起，并且正式投入了使用，但它周围的渣土、余弃的建筑材料乃至于工棚，却长久地存在着，这种现象，在我们国家可谓司空见惯。

据说存在这种现象，是因为我们国家没有专门的"清扫公司"。有些国家的"清扫公司"，不管建设，只管清扫。你楼房盖完了，建筑部门撤了，打个电话给"清扫公司"，可以提条件，或三天内将周围废物拆卸清扫干净，或两小时内完事，只要你肯付款，如想快，则多付，对方立即出动一套清扫和运输机械，三下五除二将建筑周围清扫得干干净净。

我看在中国成立"清扫公司"也不难。国外也有将清扫任务承包于建筑部门的，我们也可以学习。我认为关键并不在于我们做不到，而在于我们是不是树立了非那样不可的观念。

也许是因为我们穷惯了。穷则产生凑合的心理。差不多就得了，一美遮百丑，何必那么"较真"呢？将就将就吧！这样就形成一种心理沉淀——对事物缺乏足够的质量要求，缺乏整体观念。

这几年北京市的霓虹灯多起来了。这当然是好现象。但拿到这张晚报的读者无妨做个调查，你到附近有霓虹灯的地方转转，你看那些霓虹灯是不是都很完整。前不久我打两条繁华街道经过，功能完全、毫无毛病的霓虹灯竟占不到一半，这说明了什么？厂家生产的质量不高？用家使用的方法不对？也许都是原因，但最令人深思的，还是为什么双方都能凑合着过下去。

不是我这人眼尖，实在是因为经常乘公共汽车经过建国饭店，望见的次数太多——该饭店正门后的楼体上和西侧楼体的二楼尽东头，都各有一块窗玻璃不知道怎么给打碎了，于是前者在破碎处粘了一块塑料薄膜，后者则整个以一大块塑料薄膜替代。开始我以为不过是暂时的应急措施，但此种景观至少已持续了一年之久，前几天又一次路过时，仍见那二楼上赫然糊着一大块塑料薄膜。连建国饭店正面楼窗也可以如此凑合，不怕"破相"，则其他种种类似现象的存在，便似乎更不值得惊讶了。

然而我要大声疾呼：清除这种"穷凑合"的陋习！首先要树立起尽量严格的质量标准和力求完整的审美观念！

1984 年 10 月 27 日

净墙

十几年前的青年诗人，现在自然都不年轻了，但他们那时写下的诗篇，有的却依然鲜活，记得梁小斌曾深情地吟诵过"雪白、雪白的墙"，那是从"文革"满墙"大字报"、大标语的噩梦惊醒后，对建设性的和平生活所抒发的珍惜之情。"文革"中"造反派"所写"大字报"的主要特点，倒还不在字大，而是充满了恶意，或造谣污蔑，或无限夸大，或生拉硬扯，或强词夺理，或集上述诸手段之大成，动不动还要"揭老底"、"挂黑线"，无限上纲，人身攻击，将被批判者"一棍子打死"。现在公开贴"大字报"的现象偶尔还有，但已非多数人感兴趣的情绪、观点表达方式。越来越多的人寄希望于法制的健全与实施的力度。不过"大字报"式的文体，似尚有小小的市场，因为可以较轻易地获得轰动效应吧，所以有人爱写，也有人爱登，并且也有人爱看，但以这种文体写成的文章，作为商业潮中的一种社会填充物，于涉及者而言只不过是"纸老虎",并无大碍,与"文革"中那"真老虎"似的"大字报",已不可同日而语。

满眼曾被"大字报"污染刺激,一旦发现墙体可以是雪白、雪白的,那心情真是难以形容。但雪白、雪白的墙体摆脱了"大字报"的亵渎,却又可能被花花绿绿的商业广告所涂抹包裹。我个人对"大字报"向无好感,对商业广告的心理反应则比较复杂,一方面,我觉得健康美丽的商业广告,即使仅从人文环境的装饰效果来说,有时倒也颇能增加几许情趣;另一方面,又感到商业广告现在大有无墙不占的汹汹之势,于是乎,便忽然忆及梁小斌的诗,并且对雪白、雪白的墙面,增添了他那诗不可能提前发出的感叹。

一个健康的社会,一定要刻意保留一些"净墙"。不仅中南海的红墙应是净红的,紫禁城的城堞应是净灰的,我们的一些严肃的公共设施的围墙,一些学校、医院、博物馆、居民区的墙体,也应大体是素净的,并且其中应当有大面积是雪白、雪白的!

现在无论走到中国的什么地方,似乎都难看到长长的、素净的墙面了。城市中不顶"广告帽"的沿街楼房也越来越少。就如同我们的电视荧屏上,似乎已没有不带广告的节目了。而在我们素来视之为典型商业社会的某些西方国家,却不仅仍可见到颇多的净墙,并且,他们的某些电视节目,甚至于某些电视频道,乃至于干脆整个的公办电视台的节目里,根本就没有广告;当然,也有私人办的电视台,基本上整个儿是播广告。这里并不想得出我们不如人家的结论。各有各的国情,更何况我们毕竟是在开创着自己全新的发展模式,在探索中尚有相当大的调整余地。不过,我们自己静下心来,细想一番,恐怕还是应当做一些自我提醒:注意保持一定数量的净墙,一些雪白、雪白的,让我们眼亮心爽的墙。当然这净墙的概念还可以延伸,一直伸进我们的日常行为,我们的人际关系,和我们各自的灵魂。

1996 年夏

蒲草·芭蕉·多头菊

我家客厅中有一个粗陶坛子，插着十多枝蒲草棒儿。来客常捏捏那蜡烛状的蒲棒问："是真的吗？哪儿弄来的？"都以为稀罕，都觉得别具一格。

蒲草棒儿是朋友从北京东郊一处池塘中采撷来的。那朋友是位司机，据他说那野池塘边是一个垃圾集中站，他那天开车办事路过该处，偶然发现。他送来时那蒲棒的烛状花穗已呈咖啡色，但蒲秆仍是青绿的，所连带的蒲叶比蒲棒高出许多，柔软地呈弧线弯垂下来，更加青翠；我一见就喜欢得了不得，家里也不是没有颇为漂亮的细瓷或玻璃的花瓶，但立即意识到那都不与蒲草般配，急中生智，将妻子暂时闲置未用的一只四川泡菜坛除去盖子，插进了那束蒲草，刚一摆定，朋友和我的家人便都齐声喝彩起来。

过些时候，蒲棒秆儿和细长的叶子都干枯如淡褐色了，我便剪去了那长叶的弯曲下垂部分，这样整体形态又呈另一面目，但仍不脱其田原气息，那蒲棒儿也真如耐用材料做成的工艺品，至今一年多了，丝毫没有变形。

北京风景区的水域颇多，近一年来我去游览时总注意观察，看有没有蒲草，令人迷惑不解的是，竟一次也未遇上！蒲草并不是南方水域才易生长的东西，何以已难寻觅？

几个月前陪一位海外归来的友人去友谊商店购物，忽然在自选区发现了两束捆好的蒲棒，比我家的短、细，烛状花穗的形态也差得多了，而上面粘贴的标价令人咋舌而不敢置信，问一位收款员，她说许多驻京的外国人士都买，买时还都有获得意外快乐的表情，问货源来路，则答曰专门从南方进的。出得友谊商店，我感慨不已。北京人为什么不自己多在水域中栽种些蒲草，并揽过这笔生意呢？其实不仅可以在友谊商店供应老外，拿到农贸市场上去，只要价格得宜，一定会有喜爱田野之美的北京人购买。

这就联想到了北京的切花生意，以市民为销售对象的切花买卖，甚是萧条。记得夏天去南京，每处农贸市场，农民的花车、花摊至少总有两三处，像唐菖蒲、石竹花，也不过三五角钱一枝。最近妻子去了趟西安，据她回来形容，西安的切花买卖也比较普及，两三元钱足可购一大束鲜花；北京自然不必与广州比，但落后于南京、西安许多，总不免令人遗憾。有位朋友告诉我，北京其实是生产切花最多的城市，因为北京无数的宾馆、饭店，每天都需要极大数量的供应，现有的生产切花的单位，靠这方面的收入已获得极佳的经济效益，所以不必再面向一般市民搞薄利多销。这解释我想是成立的。另外也有朋友告诉我，北京一般市民的喜好，仍是饲养盆花而并不追求瓶插切花，许多人家花瓶里插的，几乎还都是塑料或绢质的假花，所以也曾有些南方的个体户来北京试着开花店卖鲜花，却都迅即失败告退。这解释我就半信半疑了。据我自己的感觉，北京人在盆景植物方面，已有从观花朝观叶方面转移的倾向，而对瓶插鲜花的追求和对瓶插假花的厌弃倾向，也开始出现。另外因为现在迁入高楼的人越来越多，糊墙纸、地板砖、组合柜、百叶窗、沙发、吊灯……城市味儿够浓的了，所以愿以田原山野的情趣，加以调剂。我家客厅中的陶坛蒲草之所以广受赞誉，盖出于此。因此，至少从长远来说，我以为面向北京市民的切花业（不仅卖鲜花，也应包括鲜叶，以及如蒲草棒儿一类的植物），仍是大有可为的。

还有一种解释，是说北方气候严寒时间居多，鲜花生产必得在暖房或暖窖中进行，所以成本必高，价格必昂，因此难以形成鲜花市场。倒也是。《红楼梦》里的大观园，按说应就在北京城里，但作者为了创造一个至美的艺术世界，便将若干只在南方才能露地生长的花木，也汇聚到了大观园中，最明显的例子，是栊翠庵那盛开的红梅。大观园里有荼蘼架、木香棚、牡丹亭、芍药圃、蔷薇院、芭蕉坞，前几种植物北京地区可以生长，芭蕉行不行？芭蕉在大观园中是颇重要的点景植物，贾宝玉所居怡红院中的前庭，便是蕉、棠两植，构成所谓"怡红快绿"的情调；而潇湘馆虽以千百竿翠竹著名，我们也千万不能忘记，那后院中除有大株梨花也还有芭蕉树，"芭蕉叶上听秋声"，林妹妹的伤感，当不仅由前院的风过凤尾触发，也常因后院的雨打芭蕉而引动吧？但芭蕉一般来说是只生长于长江以南的，黄河以北确实少见。北京城西南角的"人造古董"大观园，那"怡红院"中的西府海棠是真的，拍电视剧时的芭蕉便是假造的，我去年与友人同游该处，该是芭蕉树的地方连假的也没有，很感缺憾。不过今年仲夏与妻子去恭王府花园游览，那大戏堂西侧的院落中，便有露地生长的大芭蕉树，不仅茁壮挺拔，油绿滋润，而且在卷舒有致的肥大叶片中，还露出一串饱满的果实，令人惊叹不已。那树龄看上去总有几十年之久吧，经历过如许多的寒暑交替，"风刀霜剑严相逼"，它竟顽强而蓬勃地生存下来了！

恭王府花园中的露地芭蕉，引出我许多的联想。看来许多事未必是不能做或做不成，问题是我们有没有大胆尝试的勇气和努力求成的决心，当然，还必须要有相应的科学技术。以往北京露地竹林相当罕见，故宫御花园中的小片竹林常引得游客驻足赞叹，似乎那竹子也是借得帝王之威，才足以特殊地存活，而如今露地竹林在北京已不稀奇，紫竹院公园便有大片大片的竹林，且包括着许多品种，经园林技师精心指导、园林工人悉心培植，其郁郁葱葱之势，已使《红楼梦》中的潇湘馆越发可信而不必再争论其有无可能。再如《红楼梦》中写到的探春所居秋爽斋中晓翠堂后的梧桐树，原来总觉得北京难以培植，现在也多起来了。

我家书房中，每到仲夏初秋，便有大瓶的鲜花供在案头，那鲜花并非从花店买来的红黄蓝白的大朵名贵花卉，而是一大捧花朵只有硬币般大小的野菊花，北京市民管它叫多头菊，因为它虽然主干直耸，最高可长及一米，却一律从主干上半部又分叉长出许多的花头。我家案头瓶中所供的多头菊，全系我骑车到近郊所采。它不仅成为我写作生涯的提神物，也多次为亲友所赞美。它确有一种质朴的美，而且在瓶中留花时间颇长，甚至干枯后仍有一种乡野的风情潴留，实在令人喜爱！

令人困惑的是，在许多公园绿地之中，园林工人常将多头菊当做不仅无用而且有害的杂草芟除，比如我家附近的青年湖公园，东北部有一处回廊式建筑，它旁边入夏便有一片的多头菊开放，我曾长时间地倚坐在廊柱上，咀嚼那一片小小的野趣，我想一所公园，有刻意栽种的花木，也有不经意自然生长的植物，互相搭配，不是更有生意么？谁想今夏我去该处时，那一大片多头菊竟被悉数芟除，而芟除后堆作坟丘状未及时运走，经几场大雨，又沤烂而散发出腐臭气息，我很惊讶，很痛惜，坐在回廊上想：芟除它们，是出于什么动机呢？它们的生长，真的妨碍了附近非野生植物的成活繁茂么？恐怕未必！看来仅仅因为它们是规定范畴之外的！拔除后的那块地方，光秃秃，空荡荡，虽有几株木槿、核桃，却让人望去觉得心里也缺了块什么似的。

《红楼梦》里的大观园，是设计得最精密的，曹雪芹托言是一位名号山子野的园林工程师所为，他在植物布局上，就为随意生长的植物留有充分的余地，稻香村的设置不消说是为了展现出一种田原的风光，数楹茅屋外，以桑柘槿榆各色树之新条随其曲折编就两溜青篱；芦雪亭周围全是自然生长状态的芦苇；而"呆香菱情解石榴裙"一回中，一群女孩子"采了些花草来，围着坐在花草堆中斗草"，提到的花草有观音柳、罗汉松、君子竹、美人蕉、星星翠、月月红……那星星翠就很像是一种非刻意栽种在花圃中的野花。大观园之所以成为美的极至，一在于除旧套图创新，二在于弃陋规广包容，这对于我们的启示，是丰富而深刻的。

1991 年 11 月 15 日

登塔乐

我喜欢塔。尤其是中国式的密檐塔。旅游中，当我在舟车上望见天际轮廓线上的塔影时，心中总涌出一种莫可名状的喜悦。

定居北京逾 40 年，虽不敢说已将北京的塔一一访遍，但只要有闲暇有条件，我总要去亲近那些美丽的塔。前些时还专程去了房山县的云居寺，该寺原有南、北两座高塔。南边的压经塔惜已坍毁只剩石基，但北边的罗汉塔仍巍然屹立，保持着辽代的古朴风格，周遭还存有四座唐代小方塔，徘徊塔下，极富情趣。我还常在夏秋骑车到广安门外的京密引水渠旁，瞻仰那美轮美奂的天宁寺塔，它在夕阳中呈现出的剪影，总使我觉得是一首沐灵诗，一阕沁魂曲。

北京的塔数目不少，种类也多，但几乎都不可入内攀登，白塔寺和北海琼岛的喇嘛塔如此，香山碧云寺和西直门外五塔寺的金刚宝座塔如此，就是众多的密檐塔，也少有设阶梯可登至塔顶的；像颐和园佛香阁，也是直到近来才收费允登——但严格推敲起来，那算不算是一种楼阁塔，也还成问题，在我心目中，高度和宽度之比倘小到了那种程度，也就只能算楼阁而非塔了。

到北京以外旅游，只要有塔，我总要想方设法一观，只要那塔能拾级而上，我总要积极登攀。像杭州的六和塔、西安的大雁塔、山西应县的大木塔……固然登而忘返，就是广州市内的六榕塔（相对而言是座小塔）、南京中山陵旁的灵谷塔（建于1929 年，是个假古董），我也津津乐登。

我的爱塔，只能算"自作多情"，因为我上面所举出的塔，都是佛塔，按佛教本义，"塔"的梵文发音应为"窣堵波"，又可称"塔婆"或"浮图"，其意应是"圆冢"、"灵庙"一类的意思，用以安葬"舍利"（佛"涅槃"后"荼毗"——即火葬——所凝结出的骨烬，后来把那些勤修"戒"、定、慧的和尚火化后遗留的骨烬也算作"舍利"，为之建塔埋存），所以塔一般又称"舍利塔"，后来佛寺建造的高塔除了藏"舍利"外，又供藏佛经和法器。总之，倘是一虔诚的佛教徒，其爱塔之心应是"皈依三宝"的一种体现，登塔更应是一个从"渐悟"到"顿悟"的修炼过程。但是，很惭愧，我登佛塔时却很少想到佛教的种种教义，我那完全是借佛塔之便，欣悦自己的灵魂。

其实我这种"随喜"的态度，绝不算稀奇。1200多年前，杜甫、高适、薛据、岑参、储光羲他们同登长安慈恩寺塔（就是留存至今的大雁塔，不过那时只有六层，第七层是后来加盖的），每人都留下了诗篇，哪一篇也没有正经咏颂佛理，全是抒发自己的社会观人生观，如杜甫云"高标跨苍穹，烈风无时休。自非旷士怀，登兹翻百忧……回首叫虞舜，苍梧云正愁……黄鹄去不息，哀鸣何所投？君看随阳雁，各有稻粱谋！"岑参云："塔势如涌出，孤高耸天宫……连山若波涛，奔走似朝东……秋色从西来，苍然满关中……誓将挂冠去，觉道资无穷！"忧国忧民，牢骚满腹，真从"窣堵波"的原意上衡量，却是"文不对题"。

也有朋友讥讽地问我爱登塔是不是因为心底里有一种"向上爬"的欲望。我倒并不以为凭借自己的能力一级级一层层"向上爬"有什么不光彩之处。但我的爱登塔，确实并非是有一种"势当凌绝顶，一览众山小"的心理冲动，我在本文一开始就说过，我爱登的是密檐式塔，一般这种塔都是必须循层渐上，而且每层均可停留倚望的——我登塔，同许多急匆匆直奔顶层以完成"到此一游"任务的游客不同，我是"慢功细活"的游法，登得慢，而且每层必定勾留良久，从四面眺望景色，并将在各层中获得的印象于心中加以比较；登至顶层后，往下返回时更要再在各层作相当的逗留——我的经验告诉我，一般在塔的顶层，我总感觉天际轮廓线变得并不那么优美。下面景物同我心灵的距离拉得过远，有一种不愉快的疏离感；而在各层细加比较的结果，一般总可以找到一个最使我眼目愉悦、心灵舒畅的层次，倘是十三层宝塔，那一般是第九层；倘是九层宝塔，那一般是第七层……当然也不尽然，比如广州六榕寺的花塔，那倒是唯有立于顶层方觉有最佳的观瞻和心理感受。寻找到最佳层次后，一般我总要在那一层久久地流连。所以，我可以回答那讥问我的朋友：如果我心底里确有一种"向上爬"的潜在欲望，那么，它并不是一种不切实际的"野心"，而是一种为自己设定的经过努力能够达到的佳境。

登塔，确为人生一乐。愿今后能从容地登上许多尚未登临过的高塔。

1991 年岁末绿叶居中

盛世无忌

泉州开元寺的阔庭中，八株大榕树巨冠相错，浓荫蔽日，把前面的紫云大殿掩映得神秘莫测。

开元寺与北京广济寺、杭州灵隐寺齐名，始建于唐代，已有一千多年的历史。那紫云大殿，内有近百根海棠式巨柱，所塑五方佛金身魁伟，瑞相庄严，确有盛唐气象。

然而，最令人始而惊异，继而赞叹，嗣后深思不已的，却是这样一些发现：在露台台基上有七十余垛浮雕，竟全是古埃及风格的斯芬克司像！有女首狮身，有男面羊身……转到殿后，正中的两根石柱，竟是不折不扣的古希腊科林思式造型，而柱上的圆框形浮雕，又分明具有古印度婆罗门教神话色彩！我们久久地绕柱观赏着：其中表现两个角力者奋搏的浮雕，在圆框内使两个人物随圆周互呈倒置状，仿佛随着用力立即就要在圆内旋转起来，神韵毕肖，生动活泼。

开元寺是正宗佛寺，自唐、五代至宋，旁创支院一百二十区，然而它却毫不犹豫地容纳了来自埃及、希腊、印度的异教的造型艺术，坦坦荡荡、堂而皇之地将它们有机地融合在典型的中国式建筑的紫云大殿中，既无"崇洋迷外"恶谥之虞，也无"西方腐蚀"祸患之惧。这说明我们的祖先，特别是处在国力强盛、自信心充足时代的祖先，并没有那么多神经衰弱式的忌讳；是凡属好的、美的东西，管它来自何方、属于何教，只要有利于我者，便坦然用之。

开元寺给我们的启发还不止此。紫云大殿佛前两行斗拱共二十四个，各雕有形态特异的飞天，这些飞天与印度石雕的飞天以及敦煌壁画上的飞天迥然不同，不是呈现着一种失重的轻盈姿态，而是体躯丰腴，女身鸟脚，背上长着厚实的双翅，似乎是以强劲有力的鼓翅飞动，才战胜了地心的引力；她们袒胸露臂，手持各种乐器及礼品，腹部以下围穿着薄如蝉翼的裙子，头上则以美丽的花冠，承受住粗大的梁架。谁能说开元寺的建筑艺术仅仅是兼收并蓄呢？

盛世无忌，并不是说放任一切。号称"刺桐港"的泉州，唐时已设有专司接待外宾和管理外贸的"参军事"。可见对于有损中国利益的行为，我们的祖先也是主张绳之以法的。当然，或因国力的衰微，或贪吏恶霸作祟，这期间和后来，也都不乏抱住"国粹"拒绝吸收外来营养者，不乏专嗜"鸦片烟"而对"洋人"媚态百出者。如何像建筑开元寺般地大胆吸收外国的长处以助我中华之发展，实在是一个值得深思再深思的问题！

1980 年秋

无水亦佳

似神斧劈来，石峰裂痕宛然；苍松月桂，掩映着跨筑于裂罅之上的双层飞檐彩阁；崖壁上错落有致地分布着填红石刻，或篆或隶，或楷或草；远有鸟鸣，近有松涛。置身在这情景之中，真令人通体舒畅，俗念顿消，这就是福建省福州市郊鼓山风景区的灵源洞。

登阁品茶,扶栏俯望,只见枯涧之中,松塔枕着落叶,兰草生于石隙,都不禁发问:"这涧中怎无飞瀑流泉?"热心的导游姑娘遂指点起崖壁上一首宋人刻诗:"重峦复岭锁松关,只欠泉声入座间,我若当年侍师侧,不教喝水过他山。"她解释道:五代时,有个修炼的和尚叫神晏,他时常来此诵经。那时,这阁楼之后是白练似的瀑布,楼下和楼前是奔涌的泉水。有一天,闽王王审知来拜会他,两人在这里谈禅,泉水过于喧哗,神晏大喝一声,这一喝,就把泉水憋回去了,从此以后泉水就改了道……阁下石壁上有径长五尺的"喝水岩"三个刻字,我们原以为这里有泉水喝,故称"喝水岩",现在才知道"喝"是"大喝一声"的意思。

我们在"喝水岩"一带流连,几个游客,正指点着风景,展开着争论:有的说这里山、石、草、树都佳,独欠泉水,美中不足;有的说崖壁上的种种石刻,特别是跨过枯涧的"蹴鳌桥"下的宋刻"寿"字,高两丈多,阔一丈多,笔法遒劲,实在可以抵偿泉水枯竭的缺憾。我们也不免议论起来。联想到北京的风景,如八达岭、香山、景山、天坛等处,也都缺水。谢冕忽然指着一处石刻,惊呼起来:"看!看!"我们几个同时望去,只见是四个草书刻字:"无水亦佳"。

谢冕是专攻文学评论的,他受此启发,遂大发议论:"这'无水亦佳'四个字,比"不要求全责备"更具文学批评上的指导意义。完美的艺术品,就同完美的风景一样,总是罕见的,绝大多数的艺术的现象,它们的魅力,甚至往往是与它们的某种缺陷辩证地统一在一起的……"他这么一说,我们几个便"心有灵犀一点通"地纷纷补充例子:"比如京剧的程派、麒派唱腔。""比如我们所熟悉的古希腊维纳斯立雕,她原来的胳膊究竟什么样子?但人们现在望着她,总觉得'无臂亦佳'!""比如《红楼梦》,八十回以后失传当然是千古遗恨,但比起许许多多首尾完整的作品来说,它堪称'无后亦佳'！"……

这一番触景生情，由情入理，循理发愿。在今后的创作中，我们要力求扬长避短，逐步形成自己的艺术个性；不知对那些动辄以一元化的"完美"标准要求作品的某些批评家们，能否有点启发。

1980 年秋

秋水筏如梦中过

离开浙南永嘉县楠溪江风景区时，现任景区管理局金荣耀局长给了我一大本由北京大学地理系和县政府在三年前编就的开发该景区的《总体规划》，翻阅一遍后，方知旅游也是一门地地道道的科学，如乘竹筏在大楠溪中游览，如何安排最为合理，则有公式 $R_1 = L \div S_1 \times M \times T \times T_1$　$R_2 = L \div S \times M \times T \times T_1$，$R = R_1 + R_2$，各英文字母自然都代表着特定的数据，而 R 是合计出的最大乘筏旅游客容量。而客容量中又有最大日容量、年容量和瞬时最大容量，等等。

然而今秋我们"作家书画家楠溪江采风团"游览楠溪江时，除了在狮子岩遇上过一队上海休假旅游的工人，就简直没有再看到别的游客。楠溪江"养在深闺人未识"，尚未像张家界、九寨沟那样"一朝选在君王侧"；"君王"便是闻风而至的游客，不讲科学的风景区开发和毫无科学教养的游客乱窜，常导致自然美景的破坏，令人扼腕；楠溪江静若处子，名声未噪，交通还不那么畅便，游客尚未狂蜂浪蝶般涌来，也好，可从容按《总体规划》科学地开发，渐臻"梨花一枝春带雨"的境界。

形容一处新发现的美景，人们常爱用"小桂林"、"小三峡"一类的比附性称谓，我们采风团向金局长建议，楠溪江既然确实独具秀色，就千万不要再采取那样的方式命名景观，也不一定都把景区的山石用动物、人形或神怪来加以想象，从而构成

我 眼 中 的 建 筑 与 环 境

.

景点；楠溪江风景之美，全在自然淳朴，尤其是乘竹筏在大楠溪中漫游，那感觉是完全不需要加以润饰雕琢的。《牡丹亭》里的杜丽娘说"一生爱好是天然"，乘竹筏在大楠溪中顺流而下，游客们便都能如杜丽娘般地将自我融汇到天然中去。

乘船游漓江，乐趣是看山，看水中倒影；武夷山玉女峰下的九曲溪，乐趣除了看山外，还有观石（岸边巉岩常被指认为某种动物或人形神像）；而乘竹筏游大楠溪（楠溪江主干），其最大的美感则是观赏两岸的滩林。

楠溪江又称溪又称江，似矛盾，又显累赘。然而乘筏一游，便感到的确是既有溪感又有江感。它比九曲溪阔大，水面宽度常常达于中等江河，因而视野开阔。然而就它总体而言又是浅溪，堪称世上最洁净的透明绵软的水流从斑斓的卵石上潺潺流泻，水底的卵石上不生绿苔，水中也无浮萍荇藻，晶亮见底，小落差的滚动中也不起白沫，可随处舀一碗啜食而获得与饮用瓶装矿泉水同样的感受。有些水域也颇有深度，比如雄踞江心、人称"巨型盆景"的狮子岸一带，水流忽成浓绿色，旋着涡谷，竹筏通过时，便需格外小心。

楠溪江中的竹筏保持最古朴的形态，就是若干根粗大的毛竹并排绑扎在一起，前端用火烘烤后带着焦痕弯曲向上，形成筏头，而没有挡头的后部扎块木板，木板上设四把竹椅，游客四人一组，由筏老大撑筏引领前行。

远处也有浅黛的山影，两岸也有蓊郁的竹林、成长的冷杉、高大的乌桕和甜槠，青瓦灰墙的农舍时隐时现，飘出些蛋青色的炊烟……然而那些都不是楠溪江中乘筏畅游的妙处所在，妙处全在那两岸的滩林。两岸有相当宽阔的滩涂，布满砾石和卵石，间或也有黄沙和黑土，自然而然地杂生着形态不一的灌木，入秋后便生出深深浅浅的绿，又兼有鹅黄绛红的颜色，这本已赏心悦目，更美轮美奂的是滩上还错落有致地生长出一丛丛的芦苇、山荻和白茅，它们修长的叶片高过灌木，叶端弯曲下垂，仿佛摆定一个舞姿；而从叶丛中蹿出更高的花穗，有的如火炬，闪动着紫红银白的色泽；有的如狐尾，末端纤毫毕现；有的如半开的折扇，垂向一侧……微风一过，轻轻摇曳，逸出绒毛；夕阳铺来，或如镀金，或成剪影，勾引出游客无限的情思。由于滩林往往十分宽阔，把树林、竹丛、村舍、山峦都推成了淡淡的背景，因而在竹筏上你会感觉到天格外地高、岸格外地低、水格外地丰满、竹筏格外地轻盈，这时你或者可以想得很多很多，或者简直可以什么也不想，你只感受到两岸有一种自远古以来就存在的宁静和温馨朝你环拥过来，而你的身心便自然而然地融进了那瑰丽的永恒之中！

据那《总体规划》，我们一路所经过的滩林，有的段落将辟为垂钓区，有的段落将辟为游泳区，而有的地方还将成为野营野炊区。这从吸引游客、以丰收入方面来看，自然都是必要的，也可以处理得尽可能科学，尽可能艺术，然而，我却宁愿它更多地保持那古朴天然的原貌，我相信会有越来越多的游客，具有那样的素养，就是他们到大楠溪这样的地方来，主要不是寻求一种外在的娱乐，而是为了获取内心的慰藉与安宁。

同行的诗人邵燕祥对采访他的当地记者这样概括他的感受："杜甫说春水船如天上过，我说楠溪江秋水筏如天上过。"我偷来他的句子，而改掉两个字：秋水筏如梦中过。是啊，那是一个多么美丽的梦：竹筏时而似乎摩擦着河底卵石，时而似乎空无所依，两岸一队队的苇、荻、茅草缓缓后退，仿佛连续地吟诵着一首无字的长诗……什么样的公式，能测出这个实实在在的梦境之朴拙与曼妙呢？

1992 年 1 月 5 日

永嘉印象

听来的印象，极不可靠。眼见的印象呢？也未见得就可靠。因为事物的真相，常潜于深处。但哪怕是走马观花，总还是比道听途说强，把握真相虽决不能止于走马，却完全可以始于走马。

羊年深秋，到浙江省温州地区的永嘉县走了趟马。近年来耳闻中的永嘉，名声不雅。主要是该地出了若干虚假广告，坑害了不少顾客，不少传媒对此予以了曝光批评。到了永嘉县后，县里的干部对虚假广告的问题并不掩饰，承认一度确实有若干相当恶劣的案例。1989 年初开始，一直到 1991 年上半年，县委、县政府，特别是县工商管理局等职能部门，狠抓了打击虚假广告的工作，除了认真查处有关厂家和个人，还举办了展览，进行了广泛深入的群众性宣传工作。我漫步在永嘉县城的街道上，琳琅满目的各类商品从店内一直铺陈到店外的人行道上，虚假不虚假？也实难辨别。听说该县有一种特产叫乌牛早茶，沏出来汤醇味甘，我便走进一家食品店寻觅，只见柜台里摆放着一袋袋封装好的各式茶叶。我问："哪一种是乌牛早？"售货员告诉我："没有了！那茶叶只出在乌牛镇一个地方，又只有早春一季采下来的才能算数，出得不多，哪能剩到现在？"他介绍我另买几种上好的云雾茶。走出那店铺，我认明是一家国营商店。个体户会不会诓我这个外地人呢？我走得远些，到一家小小的个体商店里去，故意指着一包没标明品种的袋装绿茶说："我买这包乌牛早，多少钱？"那老板娘笑了，摆摆手说："哪儿还有乌牛早？你怎么认的？"我一脸正经地说："怎么不是？我就买这乌牛早，有多贵？"老板娘笑得两眼眯成双钩，戳穿我说："你是上面工商局下来查我们的吧？"我就说是北京来的游客，问她是不是让县里狠抓打击虚假广告吓坏了，她更呵呵地笑着说："我怕什么？打击的是那些开厂子的贪心鬼，我又不到报上登广告去！听说外边有人谈我们，什么'永嘉永嘉，永假永假'！……"她笑容渐渐收敛了,叹口气说:"我们怎么会'永假'呢? 真恨那些人,把我们全县的脸都给丢尽了! "我买了她一包当地另一种特产甜味绞股蓝。

历史上的永嘉郡,应是现在温州市区;现在的永嘉县城,50 年代末在瓯江北岸的上塘镇发展起来。温州市正在大兴土木,二十多层高的气派宏伟富丽堂皇的温州商业中心等大厦已拔地而起,但总体而言,城市建筑目前仍呈现着陈旧感,街道也显得相当狭窄。永嘉县城即上塘镇反而市容整齐,四五层高的新楼排列在宽阔的马路两旁,马路还用梧桐树和冬青类灌木分隔开慢行道和快行道,望去清爽畅快。整个县城散发着一种小康的气息,着意打扮的岂止是年轻姑娘,老妪以下的妇女都竞相以不让大城市的新潮服装和发型招摇过市。而老翁以下的男士大都西服革履,儿童们的穿着色彩更加绚丽。而且大都很强调服装的商标。西服的商标一般都缝在左边的袖口上。我在县城里没有遇上一例讨饭的。县城里的商店以售卖各种时髦服装鞋袜、箱包、皮带、化妆品的为最多。然而在一条并无多少店铺的小巷中,我意外地发现了一家个体书店,更使我意外的是那书店里主要出售各种工具书和中外文学名著,包括《莎士比亚全集》和《今古奇观》,那些连北京某些国营书店也不能免俗的纯粹消费消闲的出版物,它都几乎没有。那店主何以有这样的品味,又何以能维持和赚钱? 可惜我未及深入了解。

县里的居民住宅绝大多数是近年来建起的小楼,样式格局互相雷同,景观失之于单调,但似乎住房问题远比诸如北京这样的大城市要缓和得多。县里现在最好的招待所是一栋盖在机关院里的没有前厅的旧楼,最好的礼堂也只是一座有二十多年历史的发黑建筑,在我们去过的东南西北的若干县城里——其中有的总体面貌远比永嘉贫穷,而宾馆礼堂却颇轩丽——这是我们见到的最朴素最符合中央三令五申禁止大建楼堂馆所精神的招待所和礼堂。我特意从县里一所小学的前门进去从后门穿出，我得承认那新修的校舍相当不错，操场宽阔，操场上的体育器械也很够派。我愈发觉得永嘉固然未必"永佳"，但绝不可乱讥为"永假"。

永嘉县全境除瓯江边一小片是平原外，几乎全是山区，以前长期处在贫困状态。称为"穷山"，并不过分。十一届三中全会以后，经过十年来的发展，这才摘掉了"贫困县"的帽子。但永嘉县境内有一条楠溪江，却从来不是恶水，溪面宽阔，水质清纯，溪流中有天然盆景般的狮子岩，两岸有一流的滩林美景，以往县里的人不懂得风景也是财源，况且肚皮未饱，天天驶在江上，耕在江畔，也觉不出什么风景之美。现在眼睛亮了，心里活了，请来了北京大学、清华大学的专家学者，搞了调查，经上报国务院批准，已确定楠溪江风景区为国家重点风景名胜保护区。1500多年前，南朝宋人谢灵运曾当过永嘉郡太守，他的山水诗中有"洲萦渚连绵，白云抱幽石"，"石浅水潺溪，日落山照曜"，"密林含余清，远峰隐半规"，"石横水分流，林密蹊绝踪"，"企石挹飞泉，攀林摘叶卷"……名句，都是楠溪江风景区的生动写照。楠溪江上至今仍有宋代女词人李易安居士《武陵春》中吟到的"只恐双溪舴艋舟，载不动许多愁"的那种舴艋舟，是一种短胖的乌篷船。夏日扯帆船行溪中，宛若活现的古画。乘竹筏顺楠溪江而下，饱览两岸如梦如幻的自然风光，更是人生难得的享受。相信不久以后，永嘉的楠溪江将成为张家界、九寨沟那样的地方，不再是"养在深闺人未识"，而是"一朝选在君王侧"，"回眸一笑百媚生"。"君王"便是中外游客。

永嘉的山陵上有许多近年来用白石造起来的"椅子坟"，八成埋的是死人，二成却是生人的"阳宅"；永嘉的村落边常露出色彩鲜艳样式复古的风俗小神庙；这也是温州地区各县中普通都有的景象，令外地游客目瞪口呆。

从永嘉县县城乘汽车走一个多小时，可到达一个叫桥头的小镇，那是一个近七八年中产生的奇迹，国家没有投资一分钱，而由搞个体经营的农民集资，建成了被称为"东方第一纽扣市场"的商业中心，周遭分布着许多生产小商品的工厂和作坊，还建起了一座山上公园，最近又另辟出一大块地皮平地起楼。我随意进到楼里一家参观，舌头吐出便难缩回——里面的装修水平和家具档次以及家用电器的齐全和卫生间、厨房的现代化水准，都与电视广告上画面所差无几，只是配色上稍显土气、局部工艺上仍觉粗糙而已。又参观了一家个体尼龙拉锁工厂，厂房宽敞，进口的全套日本设备，有二十来位工人，该厂不可能有虚假广告问题——因为厂主根本不用做广告，已有全国十多个省市的服装厂抢着来订货，厂主自己的住宅固然堂皇富丽，可他为工人盖起的宿舍小楼，也相当舒适漂亮。

至今全国报刊上除了小块报道外，尚无一篇长达整版或数页的报告文学写过桥头镇——一来可能是这里的新奇现象难以消化，二来也是因为当地人并不在意广告和宣传，他们所生产、批售的五千多种纽扣，不仅几乎垄断了全国大半纽扣市场，也已引起了海外服装行业的兴趣，连远隔大洋的墨西哥客商也提出来要与他们联营哩。"桥头现象"使永嘉变得更难用一句话加以评价。

永嘉永嘉，正因为你缤纷驳杂，我探索你的兴趣在不断地增加！

1991 年冬

南湾湖·鸡公山·金牛乡

原来对于河南信阳，我脑海中只有一个单纯的概念——信阳毛尖。

到了信阳，自然去参观出毛尖茶的茶山。好客的信阳人带我们几位作家去龙潭茶乡之前，先把我们带到了南湾湖。原来没听说这么个湖，刚接近时，因为是行走在一座大坝上，因此只当是一座人造水库，草草望去，湖面倒也开阔，对岸一抹新绿，风景不坏，但似不如北京密云水库那般开阔。

我眼中的建筑与环境

乘上了水摩托，眨眼间如箭出弦，一飚千尺，这才发现原以为是对岸的地方，只不过是几座前后视象相叠的岛屿。水摩托不时斜倾弯转，呈 S 形疾驰，这才恍然，原来南湾湖乃是一大片边缘充满长岬状半岛的水域，而当中又有许许多多星罗棋布的小岛，无论大岛小岛，一律芳草萋萋，绿树蓊翳；湖水则极为洁净，近看碧蓝，远观翠绿，再远灰青，倘没有摩托快艇掀起的白浪大波，那必定是明澈如镜的恬静景象。

水摩托停在了一座有些建筑物的岛屿前，拾级而上时，主人告诉我们已来到了该地久负盛名的鸟岛，但一时间我们并没有感觉到有鸟群的存在。到了岛上，才知当地为了吸引游客，正在制高点上加速修造一座观鸟阁，我们抬头一望，那钢筋混疑土的骨架已嶙峋而立，顿觉乃一败笔——不仅那拟定修造得堂皇富丽的观鸟阁与周遭充满野气的自然景观互相抵牾，而且，大兴土木的行为必定破坏鸟群的原始生态，果然，主人跟着便告诉我们，因为修造这座观鸟阁，鸟群都被惊吓得迁到了与此岛相邻的另一岛上去了，一旦那观鸟阁真的建成，恐怕也只好在上面安装一排望远镜，请游人从镜头里一睹众鸟芳容了。

这种急于开发旅游资源以使本地区快速致富的做法，我见到不止一例，实在应当及时矫正，尤其是对待中原地区难得一见的鸟岛生态景观，这样的开发不仅缺乏远见，也陡失近利。

经主人朝对面岛上指点，终于看出那茂密的绿树丛中，显露出许多白点和灰点。再细观察，白点跃动着，偶有飞起又飞落的，是颈腿皆长的鹭鸶，灰点活跃性较差，且大都较粗胖，是颈腿皆短的一种水鸟。主人带我们翻过山坡，找到一道从此岛通向彼岛的土堤，土堤两边有围湖造出的小块稻田，沿土堤登上那尚未受土木之役搅扰的小岛，抬头观望，才终于体验到了鸟岛的奇趣——岛上的林木阔叶针叶混交，但凡针叶树如冷杉、黄松之上，都无鸟巢，甚至也无鸟儿栖息，而凡阔叶树几乎都属麻栗一类，上面都有鸟巢和鸟儿，一棵麻栗树上往往还不止一个鸟巢，我们踩着洒满灰白色鸟类流迹的落叶和山径朝上走去，因为人少声轻，鸟儿管自飞来飞去地忙它们的事，大鸟儿或觅食或叼草或喂食或教飞，小鸟或在巢中嗷嗷待哺或在林间啾啾学飞，啾唧之声交相呼应，真是一座美妙的天堂！据说鸟岛上的候鸟最多时达10万余只，品类有27种之多，但那天我们虽大饱眼福，却觉得绝无那么庞大的数字，品种亦只觉大都是鹭鸶或鸬鹚。

南湾湖已被河南省定为省级风景名胜地区，而距信阳市南约40公里的鸡公山，则是国家级重点风景名胜区。鸡公山属大别山系，其主峰报晓峰顶端的岩石酷似引颈吭啼的公鸡。因为是南北暖冷气流的交融点，所以气候适中，各种南北植物几乎皆可在此山成活，而又湿润宜人，常有云气飘浮，入夏则俨然一清凉世界，所以从晚清到民国到抗日战争初期，先后有众多的西洋传教士、外交官、富商到此山上修筑别墅，入夏便纷纷从武汉等地上山避暑，因各国来的洋人都尽量按所来国的样式建造那些别墅，因而山上房屋曾有"万国建筑博物馆"之称，又有"十里风飘九国旗"之说，当然中国的一些军阀官僚、买办富豪也不甘落后，陆续也盖起了一些别墅，其中直系军阀吴佩孚手下的十四师师长靳云鹤在20年代初建造一座"颐庐"，据说他因嫉恨西洋人趾高气扬，所以故意造得体积庞大，气势夺人；后面一座英国人建筑以走兽之王雄狮为装饰，他便以飞禽之王蝙蝠将其赛倒，又派兵四季把守院门，严禁外国孩子入内嬉戏。此别墅明明竭尽豪华之能事，他却偏称其为"庐"，以示对满山西洋楼之不屑，这位师长大概别无善迹，后不知所终，但他造"颐庐"以压洋人之气的作为，至今在鸡公山传为美谈。现鸡公山风景管理局局长徐公乃一出语诙谐之人，他说："我这个'山大王'好当，因为我这里宾馆招待所一律'四无'，一无空调，二无电扇，三无蚊帐，四无凉席，因为全用不着！"目前鸡公山盘山公路直通山顶，又正与外资合作敷设一条索道，可通往步行不易达到的瀑布群。

信阳之美，岂只南湾湖、鸡公山而已，临告别前，我们又在夕阳泻金时，匆匆参观了城郊的金牛山乡，该乡境内原有九十九座秃山，经十多年的奋力改造，目前已成了名副其实的花果之乡，我们乘汽车转了十几座山头，只见遍山茶树，茶树间有的套种着桃杏梨苹，有的套种着樱桃山楂，山路旁不仅广植油桐、泡桐，更有核桃、石榴之属，最令人感兴趣的是大株藤本的猕猴桃，种植在两米左右高的棚架之上，叶肥花壮，据说品种从新西兰引进，结果时最大的赛过柠檬……年轻的女乡长李丽告诉我们，改造秃山不仅使全村大富，也使该乡成了信阳市民喜爱的一处游览胜地，他们还引进了外资，实行着多种经营，并将建成中原最大的亚热带植物园。

信阳归来，再饮毛尖茶时，脑海中便回旋着丰富的画面与思绪，南湾湖的一片天籁，鸡公山的天人合一，金牛山乡（我只昵称它为金牛）的人定胜天，融汇着中原大地多元整合的历史文化积淀，又勃勃然喷发着新的生机，确如那一芽一叶的雨前茶一般，入口先微觉苦涩，而越品便越感到舌根生甜、香溢齿颊。

1992 年 5 月 8 日

黄河、龙门与百佛顶灯

我曾在一篇总题为《灯下拾豆》的随感录中写道：

我不喜欢舞台上的三种舞姿：

男人像女人般柔媚；女人像儿童般天真；儿童像木偶般滑稽。我不明

白，这样的舞姿为什么比比皆是？

这段话一经发表、转载之后，颇有一些读者给我来信，对这段话大表赞同。

我想我之所以说这段话，以及一些读者之所以赞同这段话，其实都无非是呼唤阳刚之气。

我们这个民族，曾是十分的阳刚的。再远的不去说它，仅就三国时期而言，鼎立的三方，其主要代表人物哪个是女人般柔媚的？刘、关、张的阳刚自不消说，曹阿瞒那"老骥伏枥，志在千里"的气概，更是雄壮逼人。孙权呢？一千年后的伟丈夫型，词人辛弃疾还说："生子当如孙仲谋！"可见也绝非阴柔女气之辈。但到了今天，我们不得不承认，至少就电影、电视和舞台上的男角色的总体状况而言，却实在有欠缺之感。近两年来更有"丑星"成批走红的现象，这当然不能说不好，然而"丑星"是一种中性化的角色，故而阳刚的男星欠缺，依然是一个无可回避的问题。

一位研究了数年中国文化的美国朋友，对我说，美国的民族意识里，有一种固有的勃勃野气，比如他们时下的男影星，如史泰隆、施瓦辛格、布鲁斯，都是肌肉暴突、精力无限的魁伟形象，深受一般民众的喜爱。而女里女气带"娘娘腔"的奶油甜点型男子，不仅不能获得大多数人好感，甚而会遭到嘲笑与厌弃；而美国人所最喜欢的风景区，一是尼亚加拉大瀑布，一是西部大峡谷，其特点也都并非秀丽明媚，而是壮阔雄奇……他说他近年来喜欢录下中国电视里的戏剧小品，一为从中学习中国俗语，一为研究中国当代人的审美趋向。他惊讶地发现，十个小品里，几乎总有八个以上表现出男性对女性的畏惧、讨好、服从，乃至甘受斥责愚弄；怕老婆，"妻管严"，雄弱雌强，女令男从……成为一种处理戏剧冲突的时髦模式；他又说近年来参观了若干中国新建成的游览场所，光"大观园"就有好几个，还有许多条仿古街道，他所获得的总体印象，是当今的中国人很喜欢柔美的、繁琐的、缤纷的、艳丽的景物……

听了那美国朋友的话后，我也坦率地对他说：依我看来，当今美国人所崇尚的阳刚，如施瓦辛格那样的形象（香港人呼作"大只"），实在只是一种肤浅的俗文化的图腾。大峡谷之野性美，固然是刚柔相济中突出了雄峻之气，却也未免过于单纯。我承认他对中国的观察印象中确实触及到了一些我们时下的弊病，但我又不得不严肃地对他说，就我们中国悠久的文化传统而言，对阳刚的审美追求那是非常之强烈，而留下的印迹也是非常之多的。且不说长江、黄河在中国人心目中的浩荡雄阔之感历久不衰，所谓"五岳"的指认和中国人世代相续地将其作为大自然中最主要的审美对象的那种激赏乃至膜拜，便是中国人绝非只懂得欣赏小桥流水、亭台楼阁、曲径通幽一类阴柔美的明证。

我同那位美国朋友的争论未能充分地展开。不过，那争论多日来一直萦回在我的思绪之中。

今年仲春，有机会到河南一游，在洛阳参观了龙门石窟。对龙门石窟我心仪已久，以往只看到有关图片，便已觉得整体气魄真是奇伟阔朗，及至真的走拢奉先寺那以卢舍那佛为中心一组巨雕前时，不禁顿感有一种似乎是从民族历史深处辐射出的震撼力穿透了我的魂魄：实在是太雄健伟峻了！那东侧的力士雕像孔武壮硕，尤具阳刚之气，是显而易见的。当中的卢舍那佛，据说建造者为讨好当时的女皇帝武则天，故意将其雕成具有女性特点。尽管如此，那眉宇间、神情上，依然笼罩着勃勃英气，充分体现出了大唐盛世的强劲雄风和容纳百川的壮阔胸怀。在龙门石窟的最大收获，便是使我意识到我们应当把今天对阳刚的召唤，同对我们民族文化传统中的阳刚气脉的探寻采补结合起来。根植在民族文化传统中的阳刚之树，本应在今天有着更壮阔的树冠、更繁茂的枝叶、更健美的花果啊！

洛阳之后，我又去三门峡市参观游览，耳闻目睹，身受心领，更增强了在龙门石窟形成的感慨。

对我来说，旅游之乐，对自然景观、历史人文景观和现时风俗景观的兴趣，是一样浓厚而且相互融合的。三门峡的黄河自然景观因覆卧于人、鬼、神三门上的大坝而形成了独特的库阔河湍气象，极爽人的胸襟，它与龙门石窟，互补为一种豪迈之气。不过对三门峡黄河段和洛阳龙门石窟的景观，我原来有过一些从图片影视中获得的印象，算是有了一定的心理准备，因而身临其境时，赞叹有余而惊讶不足。真正令我惊讶或曰惊诧或曰惊奇的，则是在三门峡那"一式一节"开幕式上所出现的当代民俗表演节目。

首先令我激动的是"亚武天锣"。只见一群灵宝县亚武地方的农民身着古代武士装束，个个袒露出两根肌肉健壮的胳膊，极为豪迈地跳跃着，他们将大锣高举过头用力敲击，并极为放纵地"嗷嗷"狂叫。他们极潇洒极自然极狂放地变换着队形，绝不追求几何图形式的齐整，体现出一种粗犷甚而狞厉的雄性壮美，其间更有一条高大健硕的汉子，高举一面辉煌的大纛，举重若轻地旋转于其间……一时间锣声喊声掌声喝彩声交混为一种比黄河咆哮更壮人胆魄的音响，置身其境，真觉得是我中华民族的千年阳刚之气在凯旋欢聚，令人振奋不已。

亚武天锣之后便是引发我终于写下这篇文章的灵宝县湖滨区百名农民表演的"百佛顶灯"。

佛教本是外来文化。佛教东来，首先落足于河南，现存白马寺便是中华第一寺。又有达摩到嵩山少林寺创建了禅宗一派，而少林寺又渐以武僧著名，这就使得凡河南和尚都绝无贾宝玉气，而充溢着雄性的魅力。灵宝县湖滨区的"百佛点灯"表演者据说几乎都并非和尚，而是当地壮硕粗犷的农民，他们对佛教与和尚的认同，显然很大程度上是出于对坚韧顽强、执著刚毅的修行精神的尊崇。据说古时有和尚在夜晚化缘时为随时向施主双手合十以示感谢，便将灯笼顶在头上，渐渐形成"和尚顶灯"或称"佛顶灯"的风俗,"百佛顶灯"的表演便由此演化而来。

"百佛顶灯"的表演在一队击鼓和尚敲击出的鼓点声中开始了。我原料想他们的表演无非给人一种杂技式的感觉,谁知咚咚的鼓声中,一百名身着袈裟的和尚刚顶着燃有蜡烛的白瓷碗列出队形,我就顿时觉得有一股肃然的庄重之气从他们那群体中喷薄而出。只见那一百位健壮的顶灯佛随着越来越急促的鼓声变换着越来越复杂的队形,他们忽而聚簇为莲花宝座,转动开合;忽而持续为卐字法轮,庄严旋转;忽而又分散开去,并随着密集急促的鼓点极为迅捷地竞走般地穿梭移动,充分显示出一种大无畏的越艰排险的气派和动势。这时观看者忍不住都用力鼓掌高声喝彩赞叹起来,而不知不觉之中,他们的快速走动已变换出了一个巨大的"佛"字,在一锤定音的猛厉的鼓声中,"佛"字大放光彩,令人心眩神迷——那并不一定是唤起了宗教情绪,更大的可能,是引出了一种对钢铁般的意志和磐石般的坚定以及江河般的豪迈所汇聚出的阳刚之美的激赏。

至少在一瞬间里,我感到无论是三门峡黄河段的自然景观,还是洛阳龙门石窟的历史人文景观,都被灵宝县农民这一"百佛顶灯"的当代民俗景观给比下去了!

自然景观的雄奇,只能算潜在的阳刚;历史人文景观的壮伟,也只是凝固的阳刚;而"亚武天锣"、"百佛顶灯"一类当代民俗景观的豪放,则闪烁着我们中华民族生生不息、世代相续的内在蕴力之美,是活鲜鲜的阳刚!

倘若说我们当代社会生活尤其是文学艺术中确实有阳刚匮乏的征候,需要采补滋养的话,那么,我呼吁,到黄河那样雄浑的自然景观中去!到龙门石窟那样的历史人文景观中去!而且,更千万别忘记,莫放过到虎虎有生气的如"百佛顶灯"的民俗景观中去的机会。

1992 年 5 月

关公大玩偶

洛阳最令我心仪的地方是龙门石窟。尽管石窟历经种种劫难破坏甚烈，那最大的奉先寺一窟的卢舍那佛的双手和座基都已残缺，两旁的二弟子、二菩萨、二天王、二力士、二供养人也无一完整，但面对着那先人在岩石上所倾注的憧憬与情怀，仍强烈地感受到历史、文化、艺术的冲击力扑面袭来。龙门石窟造像实在是看不够、品不尽的褒宝。

从洛阳去往龙门的路上经过另一处名胜关林，我以前未曾听说过洛阳关林，乍见"关林"指示牌时不禁有些吃惊，因为古代尊如皇帝，其坟墓也不过称为"陵"而已，我以前只知道孔夫子的坟墓称为孔林，现在关公的坟墓也称"林"，则其地位已跃居历代皇帝之上，属圣人级别了。

孔夫子的事迹史书上明文记载不少，又留下了一部《论语》，关夫子的事迹信史上比较简单，他似乎也没有留下什么著作或语录，人们对他的印象，大多来自《三国演义》小说，或戏曲舞台上的演出，但中国自元明之后，对关夫子的尊崇，从朝廷到民间都在不断升级，以至最后达到不可思议的程度，清顺治时已敕封他为忠义神武关圣大帝，乾隆时更加封为忠义神武灵佑关圣大帝，他是道教中三界伏魔大帝，又是佛教中的护法伽蓝，民间视他为武神、财神、商神、判狱断讼之神和旱时求雨之神及疗疾除灾之神，我在日本、法国、美国的唐人街中国餐馆一类地方，都看到过所供奉的关圣塑像，像前必有长燃的香烛，海外华裔同本土文化的相连，关夫子的作用似乎已超过了孔夫子，真令人感慨万端。《红楼梦》"薛小妹新编怀古诗"一回中，李纨议论道："……古往今来，以讹传讹，好事者竟故意的弄出这古迹来以愚人。比如那年上京的时节，单是关夫子的坟，倒见了三四处。关夫子一生事业，皆是有据的，如何又有许多的坟？自然是后来人敬爱他生前的为人，只怕从这敬爱上穿凿出来,也是有的。"李纨是金陵名宦之女,从金陵嫁到北京似不可能路经洛阳一带,因此她所见到的那些关夫子坟中,当不包括关林。据记载当年吴王孙权将关羽的首级献给了当时洛阳的魏王曹操,企图将刘备张飞的仇恨转移到曹操身上,曹操不上此当,用沉香木雕刻了关羽的身躯,将其首级放在一起,加以厚葬,地点便在今之关林,因而关林是关夫子的真坟,当无可怀疑。

到了关林里面,只觉殿堂轩昂,花木繁茂,殿内的塑像经过修整,亦极堂皇,游客如织,其稠密度不让龙门,但不知怎么搞的,我虽亦颇有兴致,却全然丧失了在龙门时的那种对历史、文化、艺术的丰富联想,只觉得好玩而已。

也确实好玩。在五开间的歇山式三殿中,有一关夫子的睡像,原来据说是木雕而带机械传动机关的,观众一进殿门,落脚在踏板之上,右手寝床上的关羽像便会从仰卧状变为坐起状,据说有那胆小心虚的事先未经人介绍,猛一见吓得昏死过去,闹出过人命。现在则有某"军转民"的国防工厂设计制作的机器人关夫子,外壳用合成材料制作,通体漆成朱红色,身着戏装般的纱衣,旅游手册上说睡像前有一仙鹤造像,游人将一钢珠投入鹤啄,睡像便会坐起,但我那天随众多游客另购专门的观览票进去时,却未见到有仙鹤造像,亦未见有人使用钢珠,倒是有一男一女两位工作人员,使用一架音质不甚悦耳的录音机,播放着事先录好的配乐和说明词,配合着那录音的乐曲与说明,他或她揿动一处按钮,则那化工合成的关夫子睡像便徐徐坐起,坐定后又微微转过头颅,并睁开一双单凤眼,屈曲上伸的右臂还作出捋胡须的动作,稍后,则又随着乐曲再转正头颅,从坐姿又渐渐复原到睡姿,这时游客们便发出快活的笑声,绝对没有人昏倒,大概也不会有人心中胆寒,依我之见,那关夫子即民间叫得最口顺的关公爷,在游客心中实在只不过是一个硕大的玩偶。

随着旅游事业的发展，游客将成倍地增加，中外游客中完全只倾心于作探古之游、文化之游、艺术鉴赏之游的人士，比例本来就不一定高，今后大概还要相对地降低些。绝大多数游客，他们要看的是热闹，要逛的是美景，而且，他们还有一个极为强烈的意识，就是要"玩"，"那地方好玩吗？"会是他们最常见的口头禅，所以，倘若那旅游点只有非专业眼光不能领略其妙处的文物而一点儿"好玩"的因素也没有，则很难为大多数游客所趋奔，例如洛阳北郊邙山乡的古墓博物馆，投资颇巨，设计颇精，格调极雅，其展品的历史、艺术价值极高，但因与其他景点均不顺路，所以连我们一大群对其颇有兴趣的参加洛阳牡丹花会的作家、记者，也都没有挤出时间一往，据说当例如关林、白马寺那样的地方人头攒动人流如粥时，洛阳古墓博物馆也还是颇为冷清，为什么？那道理很简单，就是"不好玩"。

龙门石窟的游客，未必都是真能从历史、文化、艺术角度鉴赏那些石雕的，但窟前有黄河，河上有大桥，对岸有香山寺，窟外又有大面积的工艺品与小吃摊档，很好玩，因而只抱着玩的目的去一游的人们，在潜移默化中，也一定多少受到些文化艺术的熏陶；关林中的游客，有不少是真怀着虔敬之心，去朝圣求福的，但也有许多人仅只是去看看热闹，门票钱外另掏钱进三殿看睡圣起坐，则纯然是怀着一种迪如在美国迪斯尼游乐场看电子大玩偶的嬉戏心情，我想那也无妨，也许一些少年人经受了那大玩偶的刺激后，便会去找《三国演义》的小说来读，从而到头来也有文化艺术上的高层次收获。

如何使旅游景点的自然景观、人文景观和娱乐设施互相妥当地配合，以吸引低、中、高不同层次的游客，从而既使旅游也成为招财进宝的无烟工业，又通过吸引游客有形无形或深或浅地传播和增强精神文明，这是一个很值得详加探讨的问题。

就我个人而言，关林游过一次足矣，可以不必再去，然而龙门石窟却一定要有机会便重游，多少次都不会生腻。

1992 年春

忠都秀在此作场

重檐歇山顶的殿堂四周搭着架子，殿外布满灰泥，小心翼翼地迈进殿去，只见一个年轻的工人，正在殿内用模子倒备用的瓦当，那有翔凤图案的瓦当，在地面上已经摊了几排，只待风干，便可取出供修复殿顶使用。虽是风和日丽的仲春天气，殿内光线却颇幽暗。刚进殿去，心中不免暗想，鼎鼎大名的山西洪洞广胜寺下寺水神庙，原来不过尔尔。

然而，当瞳孔放大到能清楚地观察殿堂内的壁画时，却倏地震惊了——难怪这里早就定为了全国重点文物保护单位，即使完全没有绘画史知识和特殊的艺术鉴赏力，光凭直觉，那充满殿壁的灿烂画幅，也一定能使你怦然心动。这水神庙是一座风俗神庙，除山门、仪门和厢房外，主要建筑就是这一座并不算宏伟的明应王殿。晋南自古缺水，这里的霍山脚下，有一股霍泉，附近洪洞、赵城两县，为分享这股泉水，纷争多年，后经谈判，在泉西建分水亭，并于元代延祐六年 (1319 年)，合资修筑了这所水神庙。据说明应王殿内的壁画，是当中挡上临时屏障，由两县派出各自最好的画工，分别赛画而成的。现在我们细加品评，也难分出优劣，东西两边的壁画，实在都是稀世佳作。

最有名的一幅壁画，自然是南壁东侧的元代杂剧演出图。画工用成熟的现实主义手法，完整地画出了元代杂剧的演出场面，不但将台上苍幄、布景及作戏的十一个分饰生、旦、净、末、丑的角色画得栩栩如生，还有意画了一个从后台掀开苍幄一角，朝前台窥视的人物，使 600 多年前的生活气息，扑面袭来。整幅壁画上方，是深黄的横额，上书"大行散乐忠都秀在此作场"。画幅正中的忠都秀，身着朝服朝冠，手捧牙笏，扮演的是一位男官，仔细看去，可看出这位演员的两个耳垂上，有着备戴耳环的小孔，可见是位女扮男装的名优。因为戏剧界对这幅壁画极为重视，照片和复制品时常出现在书刊上，所以它的光辉，掩没了殿内其他壁画。其实就画论画，东壁北侧的《卖鱼图》，实在比《忠都秀作场》还要生动。画中六个人物分作三个层次。最前面的两个，左侧是一位贫苦的渔翁，他表情慈厚朴实而又充满焦虑惶惑，因为右侧那个称鱼的衙史，提秤钩时右手分明腾出两根手指在捣鬼，以便少算分量；渔翁右手不安地提着尚待过秤的鱼，左手微弯着两根手指头恳请给个合理的价钱，而称鱼者眼神狡黠，嘴角微斜，毫不为其所动……这不是作戏而是实际生活的场景了，谁见了这生动而深刻的画幅，能够无动于衷呢？

一阵刺鼻的气息，把我们从至美的境界中拉回。原来是附近的一所焦炭厂在出炭。离此不远还有一所化工厂。怎样防止这些工厂排出的废气污染腐蚀稀世的瑰宝呢？这实在是值得注意的问题。

但愿忠都秀能永远在此光华四射之地作场。

1983 年 4 月

蓝色舞步

九年前，我在青海湖边惊呆了。

湖水蓝得动人心魄，而且那么宽阔，那么雍容，那么自在。

是一种纯净的宝石蓝，把蔚蓝但显得单薄的天空比下去了。风不大，湖水波动着，却并没有卷起白沫的浪头，酽酽的、荡换着一个个波峰的蓝，让人陶醉，想不出语言来形容，只在心里叹佩着大自然的奇妙。

青海湖中有驰名遐迩的鸟岛，据说那里鸥鸟成群，蔚为壮观。我那次所到的一隅离鸟岛很远。去的那天没见到一只飞鸟，并且湖边没有树丛礁石，湖上没有船舶帆影，视野所及也不见岬角与对岸，就那么汪洋恣肆的一片纯蓝，一直蓝进你的五腑内脏，似乎从那一刹那起，才懂得什么叫真正的蓝色。

那是大自然的本色之一。没有受到污染的宇宙蓝。

人们写过千万篇颂绿爱绿的文章，我也写过好几篇，绿自然是喜人醉人迷人益人的颜色。然而人们对蓝色的爱似乎尚不及对绿色的爱。人们对绿色几近于崇拜。谈到环境保护，人们首先想到的是保护绿色、增添绿色，西方的环境保护主义者甚至自称是一群"绿的"——中国时常翻译成"绿党"，但据西方的朋友告诉我，那些环境保护主义组织并不认为他们是一种政治党派，所以翻译成"绿色和平组织"较"绿党"来得准确——绿几乎成了环境良好的一种象征。继续喜爱、尊崇绿色吧，那是一点也没有错的。然而，也千万别忘了大自然那纯净而优美的蓝色！

八年前在四川境内作了一次深入穷乡僻壤的腹地游。有一回进入了一座少有城市人涉足的竹山，一群光屁股的娃娃在林边上啃吃零食——原以为是饭团、红苕（番薯）或野果，后来一细看，才知道都是笋头。那里遍山野都是茂密的竹林，那竹子的品种倒也并不稀奇，就是最一般的毛竹，但触眼心惊——不在其多，也不在其密，也不在其高，而是那一派明艳清朗的绿色，如一浪接一浪滚扑而来的绿潮，直要把你的灵魂也浸成绿色！

"这里的竹子是不是品种特异啊？"我惊疑地问，"为什么格外殷绿呢？"

"其实，竹子也就是一般的绿，不过，请你抬头看天，"陪同我们进山的当地乡干部对我们解释说，"我们这里没有一点工业污染，气候又总是那么好，所以，蓝蓝的天空底下，竹林也就格外绿幽幽哩！"那乡干部去过成都、重庆那些大地方，所以有对比，有领悟。我们顺他手所指处抬头一望，呀！确实，成都、重庆等地何尝见到过那么明净而纯粹的蓝天！蓝得透明，蓝得晶莹，蓝得优雅，蓝得坦率——蓝天之下无雾无烟，无土无尘，所以满山的翠竹，才绿得格外艳丽，格外素洁，格外浓烈，格外森郁啊！

处子般没有被污染的蓝天，护卫住处女般没有被伤害的翠竹，那情景是任何画幅、照片、影片都难以表达充分的，必须身临其境！

我爱青青翠竹，我更爱湛湛蓝天！

三年前去成都，那是我出生之地，我对她充满了特殊的难以言喻的感情。成都近些年市容变化很大，不少漂亮的大楼拔地而起，许多原来狭窄陈旧的老街改造成为了宽阔豁朗的现代化快、慢车分道行驶的新街，城市的绿化工作也很有进展，到处是新栽的绿篱和伞状的行道树，几处古老的名胜也都加强了保护，花木繁盛，亭阁翻新。然而，近郊一带工厂的烟尘，仍然浓密地随风倾泻。我骑车顺环行道行驶，便痛心地看到许多的树木和绿篱的叶片上，都积着颇厚的一层灰土；也许我去时正是雨季之后，干旱了多日，所以未经雨水浇淋的树木绿篱就更显得蒙尘铺垢，十分扎眼。其实细看那些植物，它们本身的叶片，仍在努力地绿着，然而没有明净的蓝天与它们配合——我抬眼望天，一片非蓝非白的灰色，除了自然的云层，显然浮动着厚厚的工业微尘。因此在赞叹我故乡建设事业迅猛发展的同时，我不得不为故乡天空缺少明净的蓝色而遗憾！

当我们在大地上播种绿色的同时，让我们也在天空中制造出明净的蔚蓝吧！

我虽出生在四川，却定居北京40年，也算是个地道的老北京了。北京四季分明，而四季之中，北京之秋最具有魅力。北京的旅游旺季是秋天，绝非偶然。北京秋景的魅力，有人说是殷红金黄的秋叶，那当然是北京之秋的骄傲之一——香山的黄栌叶尤其令人心醉。有人误以为"香山红叶"是枫树叶，当年以枫叶为国徽的加拿大总理特鲁多访华时，曾专门驱车前往参观，到了那里才发现香山红叶的美景主要由黄栌树的卵形叶片构成，与五角形的枫叶全然异趣；当然北京也有并不发红而主要呈金黄色的大叶枫及小叶枫。还有白蜡杆树，一到秋天也叶片黄得迷人；再有银杏树即白果树，一入秋，满树小扇子状的叶片呈现出柠檬黄，更爽心悦目；还有一些树木，如椿树、槐树、柳树，秋末也都有短暂的殷红明黄时期；北京宫殿的红墙以及白塔苍松配以色调明暗深浅不一的各种红叶、黄叶，确是北京秋景一绝；但我以为北京秋景之美，还有一更大的主角，便是那秋高气爽的北京蓝天——她变得特别高远，特别明澈，特别洁净也特别安谧，那是一种罕见的蓝色，非人世的颜料所能模拟，北京秋天的红叶黄叶倘没有那明净澄澈的蓝天衬托，那是任你艳丽也欠空灵的！啊，北京秋日的蓝天，你默默地护卫着多少美影，你幽幽地诉说着多少深情！

北京秋日的蓝天，至今还未受到大的伤害，这同北京的环保工作者们的努力，以及北京以外特别是北京北部各省市各地区的环保工作者们的孜孜努力是分不开的，但我们应当通力合作，进一步维护北京的自然环境，尤其是防止沙尘的南飞和工业废气、微尘的污染，以使北京之秋能保持着永恒的魅力！

一曲《蓝色的多瑙河》，引出人们对蓝色的多少欣悦，一曲《维也纳森林的故事》，又引出人们对绿色的多少憧憬；约翰·斯特劳斯，这奥地利的圆舞曲之王，不管他当年谱曲的初衷如何，他这些千古名曲给予一代又一代闻曲者的感受，都是对大自然的亲近与尊崇。12年前，我有幸在一个傍晚横渡多瑙河，那一天夕阳西下时，天边并无七彩云霞，只有红得润泽如番茄的一个硕大的椭圆形太阳缓缓地降落于一片苇丛如天际轮廓线的对岸，我不禁议论说："真像一幅水印木刻画！只是晚霞不够绚丽多彩！"陪同我们的外国友伴便告诉我们说："这里方圆几十公里都是自然保护区，所以空气澄净，烟尘很少，所以没有那种五颜六色的焰火般云霞，你们要懂得，这种干干净净的日落景象，并不是任何地方都能看到的啊！"我们这才"啊呀！"一声，赶忙抓紧每一秒钟欣赏那清朗润泽的日落美景，再一俯视多瑙河，虽在暮色之中，蓝幽幽，清澈澈，河弯处莲叶田田，贴水如绿玉盘，莲花也出水便开，张瓣如黄玉盏；不知名的水鸟从芦苇丛中飞出，鸣叫着划过太阳的脸庞，斜窜上天……呼吸着滋润芳馥的气息，仿佛有那《蓝色的多瑙河》旋律回荡于心头，至今回想起来，仍不禁心荡神驰。随《蓝色的多瑙河》翩翩起舞是人生一大乐事，而在蓝色的回忆中旋转着热爱大自然的舞步，也是心灵的一大快事。

我们所居住的这个星球自然不能失去绿色，然而更不能失去蓝色。即使把世界上所有的陆地都铺上厚厚的植被，成为翡翠般的板块，那总面积也仍远远逊于地球上的海洋，海洋因而构成着我们这个星球的主体色彩——蓝色。更何况包裹着地球的大气层，它的主调也是淡蓝色。据升到太空的宇航员们形容，从天际回望地球，她不是一颗红星，不是一颗黄星，也不是一颗绿星，而是蔚蓝色的水蒙蒙的一颗无比美丽的星球。

我们都知道，植物、动物同为生物，只不过植物比动物低等罢了。然而动物从低等向高等的进化过程，并不是从植物转化突变为动物的过程，一般都认为动物最原始的初祖是从海洋中产生出来的，逐步从低级向高级、从水生向两栖，又从两栖到陆生，渐渐发展突变到高等哺乳动物，再经由直立和劳动，变化为人。所以，我们在把绿色颂为生命的象征时，更应将蓝色奉为生灵的摇篮。绿出于蓝，却未必胜于蓝。碧绿加碧蓝，是我们这个星球最美的颜色！

愿每一个晴朗的日子，我们仰首瞭望时，都能有蓝得醉心的天空，引逗出我们灵魂中欢快的舞步！

1991 年 4 月 22 日

台北印象

"台北是一个丑陋的城市！"

从桃园机场乘车驶往台北市时，接待我们的台湾朋友焦先生这样说。

确实，台北让我吃惊，去台湾以前，综合各方面得到的信息，有一个先入之见，就是台湾很富裕，全岛人均年收入，已突破了一万美元，而外汇存底，更名列全球之冠，也就是说，台湾人手里掌握的美元，竟比美国人还多，并且不是多一点点，而是多许多！那么，台湾人的钱都用到哪里去了？按说，有这么多钱，台北应该建设得跟香港不相上下，甚至应当比香港更璀璨辉煌，可是，我在台北浏览市容的观感，却不得不与焦先生的评价认同。

北京人的年均收入，比起台北人来，那简直差远了去了，但北京人一定要知道，就目前的市容而言，北京远胜台北；台北最重要的街道，无论是忠孝路、仁爱路，还是信义路、和平路，哪一条都没有北京东西长安街那么壮阔；立体交叉桥的大量建造与空中鸟瞰效应的优美，北京也远在台北之上；像京广中心那么高和里面那么气派的摩天楼，台北也暂付阙如；北京的地铁虽然不尽如人意，但台北至今还并无地铁，地面交通之淤塞、混乱以及废气污染之严重，都令人提及便禁不住要长叹息；台北近年在修造高架式的"捷运"，以起地铁的作用，引进的是法国技术，却不料两次试车两次起火，至今不能营运，而且还爆发出承建机构贪污浪费的大丑闻——据说现在建成的"捷运"，光每个车站配备的垃圾桶，一只的投资就折合一万美金！北京的星级大饭店，也许是太多了，而且一个比一个气派，台北似乎反没有北京这么多，像我们下榻的福华大饭店，五星级，收费之高，世人无不咋舌。但那大堂，就没有北京王府饭店堂皇富丽，客房的设施，任何一个细节，也都没有超过北京四星级饭店的水平。北京大型的购物中心，商业文化达到的水准，也许稍逊于台北，数量却多于台北；更不消说北京城里就有故宫、天坛、北海、景山……无以伦比的古迹园林，台北最古的建筑，也就是一个明代的西门，所谓的"总统府"，不过是日据时代的一座并不雄伟的红砖楼——当年的"总督府"。台北的"中山纪念堂"未必有广州的那一座悦目，而所谓"中正纪念馆"的建筑，仅就建筑美学的创意而言，也乏善可陈。也许最值得一提的，是台北的"国家剧院"与"国家音乐厅"。这两座巨资建造的复古风格的庞然大物，望去令人触目惊心，未竣工，便有不少抨击者，批评其华而不实，或简直认为是建筑艺术创作中的败笔——不过依我看来，倒不失为如今台北市的标志性符号。

看来台湾人把他们的钱，更大量是花在向外投资，以及旅游上面了，也许还有某些微妙的心理在起作用，所以，台北近二十年的变化虽大，整体的市容，还是不敌新加坡、香港，不仅难称美丽，这简直可以谥之为丑陋。

不过，这样说，也许都是因为，原来对台北期望太高了，如果我们不要先有一个很高的标准，"就市论市"，那么，台北应该说还是一个极有特色的城市。

即使在冬季，台北仍处处见绿，如我漫步了好几次的仁爱路，快慢车道之间的绿岛上，是高耸的椰棕，人行道上，则是樟树，都绿叶纷披，郁郁葱葱。有的地方，还有粗壮的榕树和修剪得非常漂亮的松柏。台北几乎每条街都是商业街，布满了密密匝匝大大小小各种档次的商店，以各类餐饮店居多，几乎全世界的风味餐饮，台北全可找到。有的名号十分有趣，如"老爸的情人西菜馆"、"潜意识咖啡厅"。入夜，

我 眼 中 的 建 筑 与 环 境

到处霓虹灯闪烁，声光色电，营造出一种妖艳的商业气氛。台北有不少极其豪华的消费场所，一走进去，便令人目眩神迷，但也有好比华西街夜市那样比较大众化的街市，逛起来很有意趣。台北水果摊的品种非常丰富，诸如莲雾、释迦、榴莲、山竹、番石榴……都是北京人难见甚至未闻的。台北从前几年还出现了若干茶寮，乃至形成了所谓的茶寮文化，我去领略了几家，那里面提供了从烹到品的全套用具，使茶客在高雅的情调中，化解都市竞争中的焦虑。台北的中小学，以我在散步中见到的而言，设施都相当先进，而且门内楼前大都有孔夫子塑像。台北大街上有佛市，有的完全是西洋式高楼，只是在大门上挂出中式匾额，标明其寺名。像仁爱路上的一大排公寓楼，里面不知如何，仅外观而言，就都比北京的外交公寓讲究。台北少见自行车，却充满了摩托车，街道塞车，摩托车过多是一大原因，人行道上往往是密密麻麻地排放着摩托车，蔚为壮观。都说台北色情横溢，也许因为我一般都在较高档或较洁净的场所观览，所以倒感受不深，我在饭店房间里没接到过可疑电话，也没有在街头看到明显是意在挑逗或撩拨的女子，我所去的咖啡馆也没感觉到有野鸡或流氓存在。台北的书店有的很雅，至少我逛的几家普通书店，里面的书虽然很商业化，却都比北京书摊的面目要清爽些。台北的出租车服务态度不错。台北的电视节目，大体而言，很正经。商业广告的播放时间，似乎比我们这边还少；台北街头，冬天也还有些艳丽的花在开放。台北人大都穿得很不错，就配色的品味而言，多数雅于北京人。在西门町等老市区，偶见乞丐，不乏舍施之人……

但台北给我的最深印象，是物价特高，比如，我曾在街上摊档吃过一碗排骨面，花了50元新台币，约合两美元，按最近的比价算，差不多等于十七八元的人民币，你说贵不贵？我在福华住的那间客房，房门背后的标价单上标明是一天约四百美元，同样水平的客房，无论在纽约、巴黎、香港、北京都不会那么离谱，也许只有东京，能与之"媲美"。

如果再去台北,我一定要使自己超出浮光掠影的感受,捕捉到一些深层次的东西。

1994 年仲春

在台北茶寮品茶

我是"不可一日无茶"的人,不但在家里整天地喝茶,在外面也很爱喝茶,但在我定居的北京,却缺少理想的品茶场所,如今粤式茶已打进北京,可是一来那"饮茶"的目的其实是为了吃点心,系一种快餐,而非真正的品茶,二来厅堂里往往人声喧哗,不容清谈;有所谓"老舍茶馆"、"梨园茶馆"、"天桥茶园",可都是主要用来向外国旅游者展示中华民俗的,且收费不赀,非常人雅聚之地。我的故乡四川如今倒是茶馆颇多,并保持着传统的风格,竹椅竹凳,盖碗茶,大铜壶,倒茶的幺师离老远便可将你的茶碗冲足开水,甚至不溅出一星水沫,构成一种温馨的画面,但我难得回乡,所以多半只是在梦中享用。

今年元月去台湾访问,却领略了一番台北的茶寮风情。

据台湾友人告知,台北形成所谓的"茶寮文化",是不到十年间的事。这种所谓的茶寮,不是传统的茶馆,也不是西味的兼供柠檬茶的咖啡厅,当然也不是粤式的饮茶场所(北京建国门外有"美丽华翠享茶寮",却是一家粤菜馆而非台式茶寮),它们的出现,是缘于台湾经济起飞以后,"雅皮士"一族人数的增多;所谓"雅皮士",是与 60 年代的"嬉皮士"大不相同的一族,"嬉皮士"多为社会边缘的、具叛逆性的、不修边幅、玩世不恭、行为古怪乃至放荡不羁的年青人,而"雅皮士"则多为受过良好的正规教育、得到很不错的职业(多为白领,或自由职业者)、虽有独立见解却与社会亲和、穿着打扮严谨并讲究品味、情趣丰富而弃俗求雅的人士,他们中年轻的可能很浪漫，但不会逾矩，步入中年的则多半重视家庭的稳定，虽可能偶有荒唐，却也不至于迷途忘返，还是看重道德伦理，这样的一个群体，他们需要社会提供雅致消费，茶寮便是满足他们这一欲望的产物。

台北的茶寮不仅越开越多，而且风格也愈见多姿多彩，有的茶客偏爱某一种风格，便会成为那种风格茶寮的常客，有的茶客喜欢不断变换情调，所以往往总是出现在新开张的茶寮中。"饮翁之意不在茶"，而在品，所品，也并非只是茶本身的香、色、汤、味。

比如说，我们去了一处茶寮，那里面的装潢，走的是西方风味的路数，但并非英式的典雅、德式的庄重、法式的浪漫，也不尽如美国西部的粗犷豪放，倒更多地有澳洲牧场的氛围。整个厅堂全用原木装修，却呈现出做旧后的灰褐色，桌椅亦一色木质，装饰点缀的物什，或是稻秸做的工艺品，或是粗麻的挂件桌垫，入夜，照明用的是古拙的气灯与烛台，安装在隐蔽处的音响里，传出淡淡的乡村民谣的吟唱……那里所用的茶壶，是特制的，全用透明玻璃做成，里面套着也是玻璃的漏斗，茶叶放在漏斗里，冲茶时水流先经漏斗，随后再筛入壶体，倒入玻璃杯中时，便没有"残渣余孽"作祟。那里所供应的茶，除了常见的品种，还有西洋人用各种花瓣、草籽配成的茶，冲出来红若葡萄酒，喝起来甜中微苦，别有风味。相对来说，去那个茶寮的，年轻人居多。

我们去的另一处茶寮，位于小巷深处。一进门，先是一个小厅，挂着匾额，陈列着许多大大小小的陶器，以及制陶器的若干工具；进到里面，发现不是宽敞的大堂，而是分割为许多不同面积的品茶空间，从仅容一对情侣的、只容三个友人或家人的……到能容四五人、五六人欢聚的，都有，最里面还有一个可容一二十人开茶话会的"茶亭"。每一个空间，或较开放，从外面可以望进里面；或颇隐蔽，有雅致的蜡染垂帘遮挡；或安放盆景，或布置有水族箱，有的里面是桌椅，有的是矮几和蒲团，总之顾客可根据自己的爱好，择处而栖。我们选了一个三人间，点了茶，送来是一套东西，不仅有茶壶茶碗，还有茶炉和若干煎茶必备的物品，一个瓮是装凉水的，一个器皿是往茶壶里注凉水的，一个罐子是装茶叶的，一个匙是舀茶叶的，一个棒是搅茶叶的，一个钵是倒废水的，一个漏斗是滤茶汤的……这些东西都是陶制品，粗拙可爱，据说这茶寮的每一套茶具，都是风格相近而又各不相同的；另外还有小竹帚子、扇炉火的小蒲扇……真是色色精细。原来，在这里面是不吃现成茶的，茶客自烹自潋，从容呷饮，或喁喁低语情话绵绵，或论文谈艺侃侃尽欢，茶寮并备有棋书用品，可以摆枰鏖战，也可以默读遐思，总之闲情雅致，任君逍遥。佐茶小食，则精巧可口，我最喜欢一种入嘴即化的凤梨酥，台湾风味，浓酽至极。

台北茶寮里的清幽，化解着都市人平时难以融通的焦虑与烦怨，但走出茶寮，浑如一觉之后，却又必须面对甚至是更冷酷更粗糙的现实，于是在为生计的奔忙与压抑中，便更渴望到茶寮中求得高雅的松弛，这样就形成了一个出出进进的循环，茶寮的繁荣，也就更如烈火烹油，可望继续高扬不衰。

北京会不会出现台北式的茶寮？听其自然吧！我且在北京家中，细品台湾友人送我的文山包种茶。

1994 年 3 月 5 日绿叶居

留下的与带走的

阳明山是台湾著名的风景区，此山原叫草山，因为满山满谷四季百草丰茂，反比树木更引人赞叹；四九年后被蒋介石改为今名，因为他崇拜明代倡导"心学"的王阳明，故以其名加诸此山，这样一改，雅是雅了，却难让人产生生动的意象。陪同我们游览此风景区的《中国时报》编辑朋友说，蒋氏父子都有改地名的癖好，高雄有条河原叫爱河，名字原很优美，却生被蒋经国改为了仁爱河，一字之添，意境大变，但以权命名，大家不接受也得忍受，久而久之，也就叫惯，原来的老名，渐渐只出现在描写往昔岁月的小说里了。

在阳明山，风景区管理部门的负责人会见了我们，派出了最好的导游，观览了正有剧组在拍摄电视剧的活火山喷烟口，品尝了当地的蒜瓣浓汁风味鸡汤，在贵宾池里洗了温泉澡，又用越野车把我们送到各个著名景点，一一介绍，但临末了他们问我的感想，我还是坦白地说：这些风景固然不错，但于我还都没有产生震撼力；远不如大陆的许多地方，尤其比不了张家界、九寨沟的雄奇瑰丽。我的直言，颇令主人尴尬，因为阳明山在台湾是顶尖级的自然保护区，据他们说，在大陆知名度最高的阿里山、日月潭，其实都没有阳明山丰富绮丽，只不过是因歌得名罢了，事后我想，也许是我们游阳明山的季节不对，这鸡年的年尾，台湾正是植被色彩最单调的时候，山上固然仍旧绿树荫郁、茅草丛生，但已不如春夏之滋润、秋月之斑斓。著名的"蝴蝶走廊"，暂无纷飞的翅影；各类的野果，又不复缀在枝头；那山谷间号称"东亚第一大单曲拱桥"的下面，也不见奔泻的溪流；野鸟也吝显身姿歌喉，连芦穗也失去了丰满……当然更不可能有北国的雪景银装，犹如一个疲惫入睡又只给个背影的美人，难怪不能令我一见钟情了。

不过阳明山自然保护区管理的科学、严格、细致，以及本地游人的文化意识和公德修养所达到的高度，给我留下了非常深刻的印象，在风景点我看到了这样的宣传语句：

留下的，只是我们殷勤的脚印；带走的，只是我们拍下的美丽镜头。

也有换一种说法的语句：

带不走的，是我们的足迹；留不下的，是野游的垃圾。

第一种说法比较含蓄，第二种说法点中了要害——在这类的风景区，最容易形成的就是"垃圾公害"，谁都想在那里一边欣赏美景一边野餐，却往往有为数不少的游人在野餐后留下一大堆由硬、软包装盒等废弃物组成的垃圾，日积月累，这种旅游垃圾不仅越来越多，也越铺越宽，旅游区的清扫工尽管马不停蹄地进行打扫，也终因垃圾呈几何级数增加而无法以数学级数的速度清除，好端端的大自然美景，便因此而破相败兴；因此，要求游客把野游中产生的垃圾尽量乃至全数带出旅游区（而不是仅仅要他们将垃圾投入当地的垃圾桶），应该是一个很好的规定，据说阳明山自然保护区曾实行过在出口处以带出的垃圾换纪念品和玩具的鼓励办法，当然，最后是绝大多数的游客都具备了"保护自然就是保护我们自己"的意识，有了自觉的该留下什么该带走什么的修养，好习惯成为了人皆有之的"做人本分"，这样，久而久之，毫无垃圾入眼的景观，也便成了自然保护区的一大特色，足可引为自豪。

台湾阳明山所看到的这种宣传语句，我以为很该推广到祖国大陆的各个风景点。

1994 年春

关爱一只蜻蜓

1994 年 1 月，在台湾阳明山风景区参观，陪同我们的《中国时报》主人中，有一个壮实而又文静的小伙子，他引领我们走在静寂的山道上，山壁被摇曳的芭茅所密覆，虽说亚热带的冬季仍是满眼的绿色，那风光毕竟显得寥落。我正心定神怡地往前踱步，忽然，那中时的小伙子在我身旁轻声说："你看，你看……"我循他所指望去，一时并未发现什么奇景妙观；经他一再指点，这才看清，原来是有一只小鸟，在一丛芭茅中跳跃；那小鸟跟最普通的麻雀相差无几，只不过有两个明显的白眼圈儿罢了；倏尔小鸟惊飞而去，霎时不见踪影；然而中时的小伙子却仿佛遭遇到了多么了不起的意外享受，透过眼镜片，我能感受到他眼中闪动着异样的光芒……

那小伙子，便是刘克襄。他在《中国时报》当编辑，然而他在台湾文化圈中的名声，却是因为他是一个自然写作的代表人物。

什么是自然写作？这等一会儿再说。

我首先要说的是，我跟刘克襄，真是很有缘分。

80年代末，我到香港访问，友人赠了我一些台湾作家的书，其中就有一本刘克襄的《旅鸟的驿站》。说实话，当时我阅读台湾作家作品，主要还是看重他们对台湾社会人生状态的描摹剖析，所以像白先勇的《孽子》、李昂的《杀夫》等，都读得比较及时而且认真，刘克襄的书只粗粗地翻了一下，虽是粗略地一翻，印象却并不模糊，一是惊讶于怎么还有这样的作家专写这样的题材——他写的是在一块沼泽地里，坚持了一年，耐心观察那里鸟类的生活状况；二是觉得文笔很清新典雅，并非我们这边的所谓科普读物，而确是文学作品。

后来便是1994年1月的见面与同游。这个作家的眼光真是跟别的作家很不相同，比如说朱天心关心的是台湾新女性的心路轨迹，张大春关心的是社会众生相之间的微妙整合，陈映真一如既往地关心着下层民众的歌哭……可是这个刘克襄却只是盯着台湾的小鸟乃至于昆虫花草，一只跳跃的小雀，一茎展穗的秋荻，似乎都能不仅让他感动，而且撞击出诉诸文学的灵感。

1995年8月一期的台湾《幼狮文艺》，发表了我一篇小说《鲜豌豆》，样刊寄达，展读时发现里面还有刘克襄的作品《纵走福州山》。福州山是台北一座并不广为人知重的山。刘克襄娓娓地向读者描绘着那里并不宏诡的自然景观，他向我们介绍着白鹡鸰、白眉鸫、黑脸鹀、大冠鹫……还有各种蝴蝶和蕨草；我特别注意到他对蜻蜓这种小昆虫的关爱，写到"旁边水沟有蓝色型灰蜻蜓活动着"，喜悦之情溢于纸面。

他这篇文章中还附有自绘的薄翅黄蜻与杜松蜻蜓的图像，文图相契，组合成一曲对大自然的曼妙颂歌。

1995 年 11 月初，在山东威海的"人与大自然——环境文学研讨会"上，我又一次邂逅了刘克襄，他向大会提交了关于介绍台湾自然写作的论文，概言之，他所说的自然写作，以我的理解，是已超越了环境文学的那种对工业化所带来的环境污染的揭露、抗议与保护环境的诉求，而进入到了以在大自然中的观察与思考所得，将科学性与人性严密地融合，那样的一种文学写作。这当然是对文学题材的一次开拓，也是对一般意义上的环境文学的深化，更是对人与大自然关系的一种文学哲思。不过，可能是我头一回听到自然写作这一概念，直觉上有别扭之感，所以我在会上不揣冒昧，发言说："自然"一词的语意，引申到对心理状态的界定上，有时是相对于"不自然"而言的，因此，用自然写作来命名刘克襄等作家已颇成功的创作，似容易引出不必要的误解，难道不这样取材写作的，比如专写社会人生的创作，便成了"不自然写作"了么？刘克襄及另几位与会作家认为我那是"杞忧"。虽然我对刘克襄力主的自然写作这一符码有直率乃至粗鲁的质疑，刘克襄在坚持其观念同时，却依然与我友好无间。

刘克襄在威海，会余不忘观察那里的动植物。他每天很早起床，怀着对一株最普通的蓟草，一只最平凡的喜鹊的爱心，徘徊在海滨坡林滩涂。

刘克襄现在已经回到台湾。他对自然写作的执著，特别是那对一只小小蜻蜓也充满关爱的生命状态，令我佩羡不已。

是的，宇宙无限而生命短促，可是，当我们将一己那芥豆般的生命与大自然的一草一虫乃至一拳石一抔土融通时，我们才有可能真正接近于永恒！

1995 年 11 月 10 日绿叶居

我们土地上的楼林

曾写过一篇《楼林中的鸟群》，表示不同意将香港称为"文化沙漠"。不是说香港在文化方面没有缺憾，然而到尖沙咀的香港文化中心里转转，读读西西的小说，想想金庸的影响，看看很有创意的戏剧演出，听听交响乐团的演奏，到大学里参加几次研讨会……你便会感到：香港分明有从雅到俗、丰富多彩的文化景观。这还只是从狭义的角度来谈文化，如果从大文化的视野上扫描，则香港的商业文化、金融文化、旅游文化……则在世界上居于前列地位，令多少不同国籍不同民族和不同文化背景的人所神往。

然而现在我要特别提出来的，是香港的建筑文化。凡在九龙尖沙咀海边观览带漫过步，放眼观赏过对岸港岛景色的人士，恐怕都会发出由衷的惊叹：太美了！美在哪里？美在那呈现于你视野中的一片高楼的森林。这是非自然的人文景观。楼林的天际轮廓线，与背后时隐时现的太平山绿色山峦的轮廓线融合得非常熨帖，上方的天空一派澄明，下方的海水漾着靛波，真是一幅巧夺天工、洇润艳丽的水彩画！

港岛的楼林，是地球上的一大奇观。美国纽约曼哈顿的楼林，也许比香港更多更密，却因为缺乏九龙尖沙咀那样既长又宽的观览带，因此常常使游人产生"只缘身在此城中，不识楼林真面目"的遗憾。港岛楼林所具有的整体直观审美价值，因而更弥足珍贵。

港岛上的楼房，当然是陆续建造出来的。呈现于港湾岸畔的那些高楼，大多数是60年代至今的产物。有人说香港的建筑群构成了一座"世界建筑博览馆"，此说所表达的激赏情绪可以理解，然而就具体情况来说，不尽然。香港开埠百年，至今虽保留下了一些英式的老楼，占绝大多数的，却还是非古典型的，属于现代派与后现代派的新建筑。从尖沙咀望港岛，呈现于视野中的大多数高楼，都是世界上著名的建筑设计机构及顶尖级建筑艺术大师的作品，几乎每一座都有非凡的创意，不仅极到位地满足着该建筑的功能性需求，而且落入人们视野都会引出独特的审美愉悦感。比如香港上海汇丰银行大楼，设计成类似太空飞行站的形象，既非常地理性，又相当波俏。而由贝聿铭设计的中国银行大厦，由白色的叉形桁架，深色的玻璃幕墙，营造出高耸孤峭、直插天宇的另一种趣味，望之尤其令人神爽。香港会展中心气势恢宏，1996 年夏天我曾特意到其顶层咖啡吧品咖啡，大落地玻璃窗外焊花闪烁，外面正加紧扩建部分的施工，1997 年 7 月 1 日的回归交接仪式便在这伸进港湾、宛若展翅大鹏的新活动场所中举行，这附加的部分使原有的建筑更加灵动辉煌。香港目前最高的建筑则是中环广场；它其实并不在港岛上的中环而是在湾仔一带；这座建筑的特点是非常庄重华贵，其钝锥形的顶部处理似已形成一种显示气派的简洁范式，目前内地城市高楼的顶部装饰多有仿其风格的。

港岛上的高楼不仅单个观览都很美丽，它们之间在配置上所达到的和谐程度也是难能可贵的。我想这除了别的因素以外，每一位新楼的设计者在动手构思以前，充分地考虑到周遭已有及将来可能会有的高楼的状况，力求在发挥一己个性时，把整个楼林的总体人文环境的营造也作为当仁不让的义务，是最重要的一个原因。这是别的城市在设计新建筑时特别需要借鉴的。

我把港岛的建筑群称为楼林，这只不过是隔海遥望的视觉效应，其实，你真的进入到那楼林中，便会发现，绝大多数的设计若都充分地考虑到了楼际间的合理距离，在尽可能展拓公众共享空间，使这些空间互相勾连贯通，以及使楼体与车库、地铁吻合等方面，都是竭尽全力的，并且在绿化与观赏水流的处理上，还有城市雕塑的配置上，精彩之处都远超于败笔。这在中环的交易广场及其放射性波及到的楼群中体现得最为充分。

特别值得一说的，是香港的绝大部分建筑的施工质量是世界一流的，其准确地体现出设计师的艺术趣味，不仅体现在整体架构上，也体现在材料选择、焊接、组装的色准度、平整度、光洁度、吻合度、精确度上。这还只说的港岛的正面，两翼及背面尚未论及，而九龙尖沙咀与弥顿道的出色建筑群也没有论及，更没去介绍、分析其散布在各处的新居民区的建筑群，也且把比如说新界香港中文大学建筑群，以及大屿山、长州岛、南丫岛等处的特色建筑搁置勿论，即使这样，已满眼生辉，满心欢喜。特别是 1997 年 7 月 1 日以后，这些美丽的楼群已是回归到祖国怀抱中的人文花朵，并随着香港特区的繁荣昌盛，祖国这片土地上一定还会绽放出更多更美的建筑奇葩，让人怎能不欣喜若狂呢！

1997 年 5 月 19 日北京绿叶居

大屿山礼佛记

十年前，对香港概念不清，后来多次去香港，终于比较清楚了。原来，严格意义上的香港，是个四面环海的岛屿，我们常从影视、照片上看到，一片海水后，壮观的高楼林立，那就是香港岛的正面剪影。香港岛正面和背面，由一座山隔开，这山叫太平山，在太平山上看香港夜景，那真好比满眼璀璨的珠串，是一大享受。从香港岛正面，渡过一个叫维多利亚的窄窄海峡，便是与我们整个大陆相连的小小半岛，这半岛便是九龙，其岛端尖尖的，因形得名，叫尖沙咀，尖沙咀和往上的弥顿道一带，其繁华不亚于港岛。九龙再往上，是新界，新界再往上，就是深圳了。这就是全部香港了吗？非也！还有许多大大小小的岛屿，跟上述的几部分合在一起，才是广义的香港，1997 年我们要收回的，当然是这所有的地方，而非只是一个有那太平山的岛屿。有那太平山的岛屿，也就是我们常从影视、照片上看到的高楼林立的那个岛，是最大的一个岛吗？不是！广义的香港，其中最大的岛，叫大屿山，大屿山百年来并未怎么开发，只是近年来，才有在那里建设香港新机场的计划。

大屿山虽未开发，近年来却游人如织，为什么？因为岛上山里，有座名寺，这座叫宝莲的禅寺，近年在山顶上立起了一尊天坛大佛，成为一大奇观，所以引得虔诚信徒和随喜香客，以及仅是好奇的游人，络绎不绝地来朝拜观览。

在一座岛的高山顶上，立一座露天大佛，这想法在佛门之内，固然是大志向，在一般俗人眼里心中，也确实是非同小可。已于半年多以前开光的这座大佛，究竟有多大？我不想引用枯燥的数字，我只想请读者们想一想北京天坛的祈年殿，那大佛的底座，几乎与北京天坛祈年殿一模一样：圆形的大理石筑就，一层层收缩上去，每层都有雕刻得很精致的栏柱和栏板，在最高的平台上，是与祈年殿那亭式建筑几乎等高，而且也几乎是一样呈锥形造型的大佛；大佛身下，是莲花座，大佛安详地趺座，双眼微微下视，一掌向上轻放腿上，一掌放松地向外举起，真是法相庄严，感人心魄。

这座天坛大佛，是由内地南京一家军转民的企业制作的，形象设计具有美学上的创意，乍看似乎只是传统佛像的放大，细观则体现出当代的人文精神，观之不是生敬生畏，而是有说不出的亲切与温馨。这佛像的制作工艺极其复杂，难度很大，但企业员工们通力合作，完成得极为出色。现在由若干预制件拼合焊接在一起的铜佛，就是走拢观看，也觉得天衣无缝，自然浑成，令人惊佩。

那天我和香港友人，乘渡船到达大屿山码头时，很担心搭不上去宝莲寺的车，码头前的广场上确实游人云集，但我们很快就发现，那里的几家旅游车公司很会做生意，他们有若干机动车待命，一看客多，立即加开，而且疏导时态度蔼然可亲，方法巧妙，所以我们下船后很快就坐上了开往宝莲寺的大巴，车上人人有座，车行平稳，约半个多小时后，便到了目的地。那天山上，基本放晴，却又有霭霭云气，所以当我们从大佛下的石阶层层向上攀登时，只感到佛头后射出道道金光，而佛身仿佛是在云霓中移动，我们虽非佛门信徒，在此情此景之中，也不禁疑登仙境，俗念顿消，那份内心中的喜悦，实难譬喻。

这座天坛大佛，不是坐北朝南，而是坐东南而朝西北，这是因为，宝莲寺正在这座立佛的山顶之西北，这样佛像正与寺门与大雄宝殿相对，恰构成一个完整的禅林世界；同时，这佛所遥遥面对的，也正是中华本土，甚至可以理解为面对北京，其含意，就更丰富也更吉祥了。

香港岛以其密集洋化而且不断出新的高楼大厦，构成了一种世界上最"前卫"或叫做最"先锋"的文化景观，现在大屿山上巍峨雄伟的大佛，强烈地体现出这个即将回归祖国怀抱的地方那传统文化也很恢宏的一面，这让我们更加喜爱这颗"东方明珠"了，真是中西合璧、华光溢彩啊！

1994 年 4 月 25 日绿叶居

本土建筑大师的焦虑

马国馨是北京建筑设计研究院的总建筑师，1991 年获得建筑大师称号，1997 年当选为中国工程院院士。他主持设计的作品中，最具纪念碑性质的是 1990 年启用的国家奥林匹克体育中心，可谓好评如潮，专业人士刮目相看，一般俗众鼓掌欢迎。尽管他主持、参与的设计项目涉及到诸多领域，但近二十年来主攻的还是体育建筑，2007 年 1 月，天津大学出版社将他历年来关于这方面的论述集为一厚册《体育建筑论稿——从亚运到奥运》郑重推出。

从这本专业性很强的书里，一般人士也能获得关于近二十年来，我国体育建筑的发展轨迹。大体而言，亚运会期间，北京新建的体育场馆，基本上全是本土建筑师的作品，但到越来越临近的北京奥运会，几个最主要的新建场馆在采取全球性招标后，中标的全是外国设计师的作品。也不仅是体育建筑，北京新建的地标性建筑，如天安门斜对面的国家大剧院，最后是法国建筑设计师安德鲁的"水蒸蛋"方案中标；中央电视台新楼最后是荷兰建筑师库哈斯的"大歪椅"方案中标；2008年北京奥运会主赛场则是瑞士设计师赫尔左格和德梅隆的"大鸟巢"方案中标，游泳馆则是澳大利亚 PTW 设计的"水立方"方案中标……当然，中国一些建筑设计研究机构也都参与了这些最终方案的调整、细化与施工前的具体落实与施工期间的监管补救，但总体而言，性质只是给洋设计师打下手，就知识产权而言，这些投资巨大、体积惊人、形态骇目的新建筑，中国人基本上是没份儿的（澳大利亚 PTW设计所设计时，有三位中国人参与，与那边的五个人合作，或许多少分得一点知识产权？）。

马院士的这本新书，对于我们业外俗众来说，最引人注目的是，他把自己2003 年以个人名义写给北京奥组委某资深领导同志的一封信，全文收入了书中。这篇题为《关于国家体育场的一封信》，直率而明快地把他反对采用"大鸟巢"设计方案的理由加以陈述。他写那封信，是力挽狂澜。但他的个人力量毕竟是太微薄了，多少有些螳臂挡车的味道。现在"大鸟巢"主体工程已经竣工，电视台在异型钢梁大合龙那天进行了实况转播，成为一时盛事。按说生米已经煮成熟饭，马院士在 2007 年 1 月才付印的这本专著里，似乎大可不必将这样一封未能奏效的信件收入公开，但他却偏要执意收入，"立此存照"，可见他不仅是在反对一项具体的设计方案，而是在坚持个人的一种理念。这种精神是难能可贵的。这封信也构成了这本书的一个看点。

马院士反对"大鸟巢"方案，第一条理由是"造价畸高"。当时估价为38亿元人民币，在马院士写此信前，与他有类似想法的人士的反对意见略有成效——主管部门最后删减了原设计方案中的活动屋盖，屋盖估价为2亿元，那么，还是需要36亿元，这样按8万观众容量计，每个观众坐席的造价仍高达4.5万元。他引用了有关部门关于奥运场馆的设计原则"坚持勤俭节约，力戒奢华浪费"，吁请放弃"大鸟巢"这样一个畸贵的"容易留下后患"的设计方案。我不清楚接读马院士此信的有关领导及其机构是如何回应他的，但我跟一些普通的北京市民聊起这件事，我所获得的民间反应，可能是马院士估计不到的。一位公务员说："现在我们中国正在崛起，像这样的具有国力象征的地标性建筑，多花些钱有什么关系？"一位白领说："现在北京的商品楼盘，最贵的已经达到7万人民币一平米。那是卖给私人去享受的。国家体育场是公众共享的，如果才合5万不到一平米，怎么能说'造价畸高'呢？"更有一位自由职业者说："只要这36亿真的全用到了国家体育场的建设上，没人从中贪污，我就心平气和。你看看传媒上的报道，一个贪官，动不动就贪1亿甚至好几亿，36亿不过是三十几个贪官的贪污数字罢了。"一位"的哥"说："现在政府有那么多钱，能用到这样的事情上，总比花在公款吃喝上强。"一个中学生说："'大鸟巢'就是好，看着特牛B，花钱造'大鸟巢'，显得咱们中国特有派！"……这些民间舆论，说明现在的国人，多数有"盛世情结"，对于巨大、夺目、"世界第一"、"全球拔份儿"的公众工程，大都愿其快有而不去究其成本。这是亚运会期间还没有形成，而近年渐成气候的"集体无意识"（或者说是"集体共识"）。所以，马院士反对"大鸟巢"方案的第一条理由，在民间虽然肯定会有共鸣者，但共鸣度不会很高。多数俗众会对豪华的政府办公楼和奢侈的富人住宅反感，却不会对公众共享的建设项目如体育场馆、机场、地铁、公园、绿地、广场……以至大型购物中心的富丽堂皇与时尚新潮心生异议。

马院士的第二条反对理由是"大鸟巢"方案"缺少创造新意"。他随信附上了相关资料，指出设计方瑞士公司给德国慕尼黑 2006 年世界杯赛场的设计与"大鸟巢""大同小异，相差无几，只不过慕尼黑赛场的外形更为科学和理性，构架十分规则，不像'鸟巢'方案那样增加了许多无用的杆件，与之相比后者似乎创新点不多"，而慕尼黑赛场 2006 年就会在世人前亮相，我们如建"大鸟巢"则是在 2008年才能显现，"对世界各地观众来说，已经没有什么新鲜感和冲击力了。"2006 年世界杯赛已经举行过了，通过中国中央电视台的转播，我们都看到了慕尼黑的那座新赛场。我曾写过一篇《"大轮胎"与"大鸟巢"》，表述我个人的观感。马院士指出慕尼黑赛场与"大鸟巢""大同小异，相差无几"，他那是"内行看门道"，点破赫尔左格他们的设计无非是那么个套路，主体结构就是那么一回事儿；但对于我们俗众来说，则完全是"外行看热闹"，依我看来，慕尼黑赛场外观像个"大轮胎"，匀称、规整、厚重、敦实，符合德国统一以后大多数德国民众追求稳定、自足的心态，而北京奥运会主赛场的外观设计酷似"大鸟巢"，跃动，浪漫，轻盈，怪异，符合致力于融入全球一体化的中国俗众特别是年轻一代追求新潮、前卫的心态，尽管设计者骨子里"换汤不换药"，在专业人士看来"左不过是把一个套路略加变化卖两回"，但赫尔左格他们能"看人下菜碟"，也是一种本事，倘若他们把"大鸟巢"方案递给慕尼黑，而把"大轮胎"方案递给北京，那么，很可能是谁也不要他们的设计。这里面的奥秘，马院士似可深思。一个民族的占主流的审美潮流的形成，是由此民族在所处的发展阶段上的具体形势所决定的。二十多年前马院士主持设计的亚运村国家奥林匹克中心，两座运动馆屋顶把西洋式的斜拉索和中国古典庑殿顶韵味成功地糅合到一起，功能效果到位，而又赏心悦目，至今仍令人回味无穷。但时过境迁，现在从项目主管官员，到一批中国建筑界人士，到俗众，特别是都市年轻人，他们对大型公众建筑，似乎已经很不在乎其中是否糅合进了中国民族元素，他们的审美趣味已经朝全盘西化——并且不是古典的西化而是最前卫的西化——倾斜，全无中西古典元素的"新锐设计"方案（其实马院士这样的内行一眼能看出往往"无非是熟套路"），频频在中国中标。今日之中国，从某种程度上说，实际是已经成为西方前卫建筑设计的"冒险家乐园"。

马院士对"大鸟巢"的前两条否定意见，我实际上是在"否定之否定"，相信大家都已经看明白了。但马院士的第三条意见，我却非常共鸣。他说："我不是狭隘的民族主义者，也坚决支持通过开放、交流、学习，提高我们的技术水平。但在奥运会这个展现我国经济、技术、组织水平的绝好机遇，在向全世界展现我国综合国力的十分敏感问题上，我认为还需要多一点民族的自信心。"他指出，二战至今共举办了14届奥运会，各国为举办奥运会而修建的体育场馆，几乎全都由本土建筑师来主持设计，特例只有3个，其中加拿大蒙特利尔奥运会请法国设计师设计，还有因为蒙特利尔处于加拿大法语区的特殊渊源。

马院士所提出的第三条意见，实际上涉及到了一个非常重大的问题，那就是在我们对外开放的过程中，如何保障本土文化创造者的应享份额。建筑无疑是一种文化，而且也是一种艺术，建筑设计是一种非常重要的文化创造，就一个民族国家来说，在每一个历史发展阶段上，其地标性建筑数量大体是一个常数，不可能无限，也就是说，随着经济腾飞，社会需求量激增，公众共享的巨型建筑这个蛋糕做得再大，毕竟不可能无边无沿，那么，这个蛋糕的设计份额，要不要有个前提？我认为应该有：那就是"本土优先"、"本土切下三分之二"（或至少"过半"）。一个民族如果不采取措施来保障本土文化人在文化产品设计制作过程中的优势地位，那么，后果的不堪设想，恐怕就决不是"代价畸贵"或"并无新意"一类问题了，那会导致本土文化创造的窒息与沦丧。

其实保障本土文化生产获得过半乃至更多份额，绝不仅是建筑设计这一个方面的问题。本土电影的生产、发行方面的情况，相信已经有更多的人士注意到，焦虑可以说是普遍而深沉的。过去每年都会给我们带来许多快乐和感悟的本土电影制片机构，如北京电影制片厂、上海电影制片厂、长春电影制片厂、潇湘电影制片厂、峨眉电影制片厂……如今萎缩到了什么程度？一些民营的制片机构，如新画面、华谊兄弟，以大资金投入，希望能在票房上取得成绩，并发行到境外商业院线，苦苦打拼，但其实现在中国的电影市场，还是由好莱坞大片切去了最大份额的蛋糕。好莱坞大片及其他由境外引入的影片应该享有一定的份额，中国电影观众有欣赏他们制作的欲望和权利，但为保障本土电影创造群体的创造权、生产权、发行权，制订和完善相关的政策和法律法规，确保其应得的份额，显然是非常重要的。其他文化领域的类似状况不再列举，相信许多国人都心中有数。

保障本土文化创造的应享份额，就要相信本土文化创造者的创造能力。马院士说"还需要多一点民族的自信心"，就是吁请各方面应当相信本土的文化创造者的创造不仅能够满足本土民众的需求，也能在世界上获得声誉与影响。拿建筑设计来说，现在本土设计机构与设计师的设计才能完全不逊于安德鲁、赫尔左格、库哈斯之流，而且设计理念、风格方面也早已经多元化，你要完全民族风格的，有；要中西合璧折中风格的，有；要后现代"同一空间中不同时间并列"的拼合风格的，也有；你就是要完全看不出民族与西方既有血缘的，最个性最奇特最前卫最怪异的设计，那么，不仅是有，甚至还颇多，特别是年轻一代的设计师，能够设计出比库哈斯"大歪椅"更诡谲的作品来；既然本土设计具有多方面的才能，为什么在设计方案的竞争中，不能对本土的设计更有兴趣与信心呢？当然，正如马院士所说，我们谁也不是"狭隘的民族主义者",我们对外开放是真诚的,容纳外来设计的胃口是旺健的,"要最好的"应该是最大的前提,外国设计机构和设计大师的确实精彩的设计,肯定是要录用的。只是现在出现了"外来和尚稳占上风"的情况,才引出了马院士这样的本土"大和尚"的焦虑,也才引出了关于保障本土文化创造份额的带有紧迫性的话题。

本土建筑大师马国馨透过一封私对公的信件,所表达出的焦虑,是沉重而尖锐的。从作为业主的公众共享建筑的主管部门及其官员,到业界的人士,一直到一般俗众,都不能在他这封信前闭上眼睛、掉以轻心。

2007 年 1 月 27 日写于绿叶居

电光与烛焰

去冬我从北欧访问归来,带回一座在瑞典斯德哥尔摩 NK 百货商店买的银烛台,过年的时候,把它放在餐桌上,插上点燃的蜡烛。虽室内电光已很充足,那烛焰却毫不显得多余,它给年夜饭增加了许多温馨的情调;望望那造型别致、银润怡人的烛台,再望望烛光闪映下亲人们那更加喜悦的面容,我为自己不远万里将它迢迢带回而感到非常得意。

是的,我家同如今许许多多的中国家庭一样,可谓已"武装到牙齿"——大量使用家用电器,彩电、冰箱、洗衣机、音响、电风扇、电饭煲、电吹风、电熨斗、吸尘器、电动抽油烟机、微波炉、电烤箱、电脑……但我家远远不是"武装"得最充分的。我的若干亲友,他们家里那是简直已经"武装"到了"眉毛",除了上述各项是必有的外,还有诸如卡拉 OK 机、游戏机、电子琴、电剃须刀和电牙刷、电热毯、电咖啡壶、电热器、电加湿器或电抽湿机、电火锅、电暖气、电按摩椅、电洗碗机……

你看你看，我说了这么多，竟还把人家最重要的忘记了：空调和具有十多种最先进功能的电话机、电传机！电能源和电子技术使我们的家庭陆陆续续地都进入了一种被称为"现代化"的境界，但现代化的真正含义究竟是什么？

我去冬访问的北欧三国（瑞典、丹麦、挪威），民众的生活自然比我们富裕，尤其是住房条件，我们即使是电器满室的人家，住房往往也还显得十分局促；我发现，他们那里没什么人为家里拥有的电器而自豪，他们引以为荣的，是自己下工夫为自家居室所营造的特有情调。他们那里因为纬度高，冬季昼短夜长，点蜡烛不仅是一种照明需要，也成为他们的一种生活情调，说北欧文·化是"烛光文化"，不算夸张。在北欧，尽管电力充足，家家户户还是都有烛台，都点蜡烛，而且绝不止一两个烛台，也不是天黑了才点，闪闪的烛光，可以说是融入了他们每个人的一生。虽然家家户户都点蜡，情调却各不相同，因为有各式各样的烛具，烛台不仅可以因金、银、铜、铁、锡、木、石、玉、瓷、玻璃、塑胶或几种合成的不同材质而异趣，那外观更千姿百态，蜡烛粗的有啤酒瓶那么大的直径，细的犹如铅笔，而且颜色也丰富多彩，像紫罗兰色与金黄色的蜡烛，我是在北欧才头一回看见；蜡烛也不一定都是长形的，不去说那些特意制作成人形或动物形的异型烛，单说有一种非常普通的蜡烛盅，里面的蜡一般都矮于盅口，盅身倘用非透明的材料制成，则上面必雕镂出若干漏光的花洞……去北欧的朋友家做客，我发现他们都十分精心地布置家中的烛具，使自己家焕发出一处独特的情调，或富丽堂皇，或幽静清雅，或如在仙境，或古朴淳厚，或红光生温，或绿影婆娑……显示出他们的文化教养与心灵渴求。

我无意鼓吹中国人仿效北欧人在家中点蜡，我在家中点蜡，主要还是为了回味旅游中领略到的异域风情；各国各民族自有独特的文化传统和现存风俗，外来的文化与风俗固然可以借鉴、吸收。我们要使自己的生活真正现代化，还是要在实现电

气化的同时，把我们民族传统里的精华加以继承与发扬，并注入现代精神，使我们

除了物质上的进步，还有精神上的提升。倘若我们在雪亮的电光下，心中还长燃着

一支不熄的明烛，那该有多好啊！

1993 年 2 月 16 日北京绿叶居

附录一 刘心武文学活动大事记

1942 年

6 月 4 日生于四川省成都市育婴堂街。

后在重庆度过童年。

父母兄姊均热爱文学艺术，深受家庭熏陶。

1950 年

随父母迁居北京，从此定居北京。

在隆福寺小学上小学，在北京 21 中上初中。

1958 年

在北京 65 中上高中。

给若干报刊投稿，屡被退稿。

8 月，在《读书》杂志发表《谈〈第四十一〉》一文，是投稿第一次成功。

1959 年

在《北京晚报》"五色土"副刊陆续发表一些儿童诗、小小说。

为中央人民广播电台少儿部《小喇叭》（对学龄前儿童广播）编写若干节目；其中快板剧《咕咚》经编辑加工、录制后大受欢迎；"文革"中录音带被销毁；1991 年重新录制播出。

1961 年

毕业于北京师范专科学校，分配到北京 13 中任教。

至"文革"前，在《北京晚报》《中国青年报》《人民日报》《光明日报》《大公报》《北京日报》《体育报》《儿童时代》《大众电影》等报刊上发表了约 70 篇小小说、散文、杂文、评论等文章。

1966—1976 年

"文革"中，因 1964 年曾发表过一篇关于京剧的文章，以"反江青"罪名被冲击。

1974 年后再试写作，曾写一关于"教育革命"的长篇小说，由出版社联系获准脱产修改，但终未达到当时出版要求。

1976 年

写出一个大院里孩子们同坏蛋斗争的中篇小说《睁大你的眼睛》并得以出版（北京人民出版社）。

又按照当时政治要求写出一些短篇小说、散文，有的到次年才收入多人合集中出版。

调到北京人民出版社（后恢复"文革"前社名：北京出版社）文艺编辑室当编辑。

1977 年

11 月，在《人民文学》杂志发表短篇小说《班主任》，产生重大影响——被认为是"伤痕文学"的开山作，也是"新时期文学"的发端；从此成名。

从《班主任》后，写作冲破懵懂，沿着认定的方向跋涉，穿越风云，锲而不舍。

1978 年

参加《十月》杂志（开始以丛书名义出版）创刊工作，在创刊号上发表短篇小说《爱情的位置》，经转载和广播，影响巨大。

在《中国青年》杂志上发表短篇小说《醒来吧，弟弟》，反应亦极强烈。

《班主任》《爱情的位置》《醒来吧，弟弟》均被改编为广播剧，由中央人民广播电台多次广播，《醒来吧，弟弟》被搬上话剧舞台；此年发表的短篇小说《穿米黄色大衣的青年》亦由电台播出。

1979 年

在首届全国优秀短篇小说评奖中《班主任》获第一名。颁奖会上，从茅盾先生手中接过奖状。

参加中国作家协会第三次全国代表大会，被选为中国作家协会理事。

成为中华全国青年联合会常务委员，至 1993 年卸任。

9 月，参加中国作家代表团访问罗马尼亚，此系"文革"后第一个作家出访团。

在《人民文学》杂志发表短篇小说《我爱每一片绿叶》，写作技巧有长足进步。

1980 年

调至北京市文联当专业作家。

《我爱每一片绿叶》获 1979 年全国优秀短篇小说奖。

《看不见的朋友》获 1954—1979 年第二届全国少年儿童文学创作奖。

在《十月》杂志发表中篇小说《如意》，其弘扬人道主义的追求引起争议。

出版《刘心武短篇小说选》（北京出版社）。

1981 年

在《十月》杂志发表中篇小说《立体交叉桥》，引出更大争议，一些评论家认为"调子低沉"是步入了写作上的歧途，另有评论家则认为此作标志着刘心武的小说创作在反映现实、探索人性及艺术工力上均达到了新的水平。

5 月，应日本文艺春秋社邀请访问日本。

1982 年

应导演黄健中之请，改编《如意》；北京电影制片厂拍成彩色艺术片《如意》。

1983 年

11 月,参加中国电影代表团赴法国,在南特"三大洲电影节"上,《如意》在开幕式上放映,获好评;后陆续在法国、西德电视台播出。

1984 年

冬,应邀访问西德,参加"中德大学生会见活动",并在波恩大学、波鸿大学与威尔兹堡大学介绍中国当代文学。

年底,参加中国作家协会第四次全国代表大会,再次当选为理事。

在《当代》文学双月刊第 5、6 期连载长篇小说《钟鼓楼》。

1985 年

出版长篇小说《钟鼓楼》(人民文学出版社),并获第二届茅盾文学奖。

因《钟鼓楼》获北京市政府嘉奖。

7 月,在《人民文学》杂志发表纪实小说《5·19 长镜头》,反响强烈。

11 月,又在《人民文学》杂志发表纪实小说《公共汽车咏叹调》,引起轰动。

1986 年

年初,应当代文艺出版社邀请访问香港。

6 月,调中国作家协会人民文学杂志社,任常务副主编。

在《收获》杂志设《私人照相簿》专栏,进行图文交融的文本尝试。

散文集《垂柳集》出版,冰心为之作序。

1987 年

1 月,被任命为《人民文学》杂志主编。

2 月,《人民文学》杂志 1、2 期合刊发表马建写的小说《亮出你的舌苔或空空荡荡》违反民族政策,承担责任,停职检查。

9 月,复职。

冬,应邀赴美国访问。参观美洲华侨日报;在哥伦比亚大学、三一学院、哈佛大学、麻省理工学院、康奈尔大学、芝加哥大学、旧金山大学、斯坦福大学、伯克利加州大学、洛杉矶加州大学、圣迭戈加州大学等处演讲,介绍中国当代文学,并参观耶鲁大学;参加爱荷华大学"作家写作中心"的纪念活动;游览华盛顿等地。

1988 年

3 月,应香港《大公报》邀请,赴香港参加五十周年报庆活动;在《大公报》安排的大型报告会上作关于改革开放与文学创作的报告。

5 月,应法国文化部邀请,参加中国作家代表团访问法国,除在巴黎活动外,还访问了西部港口城市圣·拉扎尔。

《私人照相簿》在香港出版(南粤出版社)。

《我可不怕十三岁》获 1980—1985 年全国优秀儿童文学奖。

以上数年中,若干小说、散文还分别获得过《当代》《十月》《小说月报》《小说选刊》《中篇小说选刊》《儿童文学》《北方文学》等杂志,《人民日报》《文汇报》等报纸副刊的奖;拍成电视剧播出的有《没工夫叹息》《熄灭》(电视剧名《火苗》)《今夏流行明黄色》《到远处去发信》《非重点》《公共汽车咏叹调》和八集连续剧《钟鼓楼》;若干作品被英国、美国、西德、苏联、日本、瑞士、瑞典、法国、意大利等国翻译为英、德、俄、日、法、意、瑞典等文字出版;自 1987 年起被世界上有威望的英国欧罗巴出版社《世界名人录》收入词条。

1989 年

春,应香港中文大学翻译中心邀请,与妻子吕晓歌赴香港访问。

1990 年

3 月,以任届期满,免去《人民文学》杂志主编职务。

香港中文大学翻译中心编译的英文小说集《黑墙与其他故事》出版。

秋，以"鱼山"笔名在《钟山》杂志发表中篇小说《曹叔》。

1991 年

出版小说集《一窗灯火》。

除小说外，开始发表大量散文、随笔。

1992 年

长篇小说《风过耳》在内地（中国青年出版社）、香港（勤＋缘出版社）分别出版，反响颇为强烈。

长篇小说《四牌楼》完稿，交上海文艺出版社出版。

《献给命运的紫罗兰——刘心武谈生存智慧》由上海人民出版社出版，受到读者欢迎。

在《收获》杂志发表中篇小说《小墩子》，后由中国电视剧制作中心改编拍摄为电视连续剧。

至该年，在海内外出版的个人专著按不同版本计已达 43 种。

在《红楼梦学刊》1992 年第二辑上发表论文《秦可卿出身未必寒微》，在"红学"界和读者中均引起注意；另有若干《红楼梦》人物论和《红楼边角》专栏文章发表。

冬，应瑞典学院邀请（斯堪的纳维亚航空公司赞助）赴北欧访问；在挪威奥斯陆大学、瑞典斯德哥尔摩大学和隆德大学、丹麦哥本哈根大学和奥胡斯大学的东亚系汉学专业以《九十年代初的中国小说》为题作学术报告；12 月 7 日，参加诺贝尔文学奖有关活动，听 1992 年得主德里克·沃尔科特发表受奖演说。

1993 年

华艺出版社出版《刘心武文集》（1—8 卷）。

出版长篇小说《四牌楼》。

1994 年

1 月，应台湾《中国时报》邀请赴台参加"两岸三地文学研讨会"。

《四牌楼》获上海优秀长篇小说大奖，到沪领奖。

1995 年

出版随笔集《人生非梦总难醒》（上海人民出版社）。

出版小说集《仙人承露盘》（华艺出版社）。

1996 年

出版长篇小说《栖凤楼》（人民文学出版社）。至此，由《钟鼓楼》《四牌楼》《栖凤楼》构成的"三楼"长篇小说系列竣工。

应《南洋商报》邀请赴马来西亚访问并顺访新加坡。

1997 年

应日本文化交流基金会邀请，与妻子吕晓歌访问日本。其长篇小说《钟鼓楼》、儿童文学作品《我是你的朋友》、短篇小说《王府井万花筒》等此前已相继译为日文在日本出版。

1998 年

建筑评论集《我眼中的建筑与环境》由中国建筑工业出版社出版，在建筑界产生影响。

应美国科罗拉多大学邀请，赴美参加金庸作品国际研讨会，在会上提交关于《鹿鼎记》的论文《失父：一种生存困境》。

1999 年

出版纪实性长篇小说《树与林同在》（山东画报出版社）。

出版《红楼三钗之谜》（华艺出版社）。

赴新加坡出席国际环境文学研讨会。

2000 年

应邀访问法国，并应英中协会和伦敦大学邀请，从巴黎赴伦敦讲《红楼梦》。

至此年底在海内外出版的个人专著（不含文集）按不同版本计达 101 种。

2001 年

出版包含建筑评论的随笔集《在忧郁中升华》（文汇出版社）。

在北京电视台录制播出《刘心武谈建筑》系列节目。

2002 年

出版小说集《京漂女》（中国文联出版社），自绘插图。

应澳大利亚雪梨华文写作协会邀请赴澳大利亚访问。

2003 年

以马来西亚《星洲日报》世界华人文学"花踪奖"评委身份赴吉隆坡参加相关活动。

台湾联经出版社出版小说集《人面鱼》。此前台湾已出版过刘心武多种作品，如皇冠出版社出版了《钟鼓楼》，幼狮文化事业公司出版了《四牌楼》《为他人默默许愿》（散文集）。

2004 年

赴法参加巴黎书展活动。书展上展出了译为法文的著作有小说《树与林同在》《护城河边的灰姑娘》《尘与汗》《人面鱼》《如意》与歌剧剧本《老舍之死》。

建筑评论集《材质之美》由中国建材工业出版社出版。

小说集《站冰》出版（人民文学出版社），自绘封面插图。

2005 年

出版集历年研红成果的《红楼望月》（书海出版社）。

应 CCTV-10（中央电视台科学教育频道）《百家讲坛》邀请，录制播出《刘心武揭秘〈红楼梦〉》系列节目 23 集，反响强烈，引出争议。

《刘心武揭秘〈红楼梦〉》第一、二部相继出版（东方出版社），畅销。

2006 年

应美国华美协会邀请，赴纽约在哥伦比亚大学讲《红楼梦》。

应邀参加香港书展。

出版《刘心武揭秘古本〈红楼梦〉》（人民出版社）。

2007 年

继续应邀到 CCTV-10《百家讲坛》录制节目，并出版《刘心武揭秘〈红楼梦〉》第三部、第四部（东方出版社）。

访问俄罗斯。

2008 年

出版随笔集《健康携梦人》（中国海关出版社）。

自 1986 年出版《垂柳集》，至此所出版的散文随笔集已逾 30 种。

2009 年

在《上海文学》杂志开《十二幅画》专栏，每期发表一篇写人物命运的大散文，并配发自己的画作。

4 月，妻子吕晓歌病逝，著长文《那边多美呀！》悼念。

2010 年

再应 CCTV-10《百家讲坛》邀请，录制播出《〈红楼梦〉的真故事》系列节目。至此在《百家讲坛》录制播出关于《红楼梦》的个人系列讲座累计达 61 集。

出版《〈红楼梦〉的真故事》（凤凰联动·江苏人民出版社），在争议声中畅销。

4 月，应台湾新地文学社邀请赴台参加"21 世纪世界华文文学高峰会议"。

出版《命中相遇——刘心武话里有画》（上海文艺出版社）。

加快《刘心武续〈红楼梦〉》的写作，次年完成推出。

至本年底，在海内外出版的个人专著，文集不算在内，重印亦不算，按不同版本计达 182 种（按不同书名计则为 141 种）。

年底，筹备编辑《刘心武文存》。

附录二 刘心武著作书目

只包括在中国大陆、台湾、香港和海外出版的书（同一著作每种版本单列）；不包括散发于报刊尚未出书的篇目，亦不包括多人合集中的篇目。第一个数字表示不同版本的排序；[ ]中的数字表示剔除同一书名的版本后的排序；注意：文集8卷不参加排序。

1976 年
1.[1]《睁大你的眼睛》[儿童文学·中篇小说]

北京人民出版社 1976 年 1 月第一版

1978 年
2.[2]《母校留念》[儿童文学·小说集]

中国少年儿童出版社 1978 年 7 月第一版

1979 年
3.[3]《小猴吃瓜果》[低幼读物·画册]

少年儿童出版社 1979 年 4 月第一版

1980 年 6 月第二次印刷

4.[4]《班主任》[短篇小说集]

中国青年出版社 1979 年 6 月第一版

1980 年

5.[5]《我是你的朋友》[儿童文学·中篇小说]

北京出版社 1980 年 7 月第一版

6.[6]《绿叶与黄金》[中短篇小说集]

广东人民出版社 1980 年 8 月第一版

7.[7]《刘心武短篇小说集》

北京出版社 1980 年 9 月第一版

1981 年

8.《这里有黄金》[中短篇小说集]

广东人民出版社 1981 年 4 月第二次印刷

有平装、软精装两种

9.[8]《大眼猫》[中短篇小说集]

浙江人民出版社 1981 年 8 月第一版

1982 年

10.[9]《如意》[中篇小说集]

北京出版社 1982 年 5 月第一版

1983 年

11.[10]《中国现代作家选（Ⅲ）刘心武〈我爱每一片绿叶〉〈深谷小溪默默流〉》

[日本] 东方书店 1983 年第一版

12.[11]《同文学青年对话》

文化艺术出版社 1983 年 10 月第一版

1984 年

13.[12]《到远处去发信》[中短篇小说集]

四川人民出版社 1984 年 4 月第一版

有平装、软精装两种

14.[13]《如意》[电影文学剧本](与戴宗安联合署名)

中国电影出版社 1984 年 6 月第一版

1985 年

15.[14]《嘉陵江流进血管》[中篇小说集]

陕西人民出版社 1985 年 2 月第一版

16.[15]《日程紧迫》[中短篇小说集]

群众出版社 1985 年 5 月第一版

17.[16]《我可不怕十三岁》[儿童文学集]

新世纪出版社 1985 年 8 月第一版

18.[17]《钟鼓楼》[长篇小说]

人民文学出版社 1985 年 11 月第一版

有平装、软精装两种

1986 年 5 月第二次印刷

1986 年

19.[18]《公共汽车咏叹调》[纪实小说]

湖南文艺出版社 1986 年 1 月第一版

20.[19]《都会咏叹调》[小说集]

作家出版社 1986 年 3 月第一版

21.[20]《垂柳集》[散文集]

陕西人民出版社 1986 年 4 月第一版

22.[21]《立体交叉桥》[中短篇小说集]

人民文学出版社 1986 年 6 月第一版

有平装、软精装两种

23.[22]《巴黎郁金香》[访法散文集]

群众出版社 1986 年 11 月第一版

24.[23]《木变石戒指》[中短篇小说集]

青海人民出版社 1986 年 12 月第一版

1987 年

25. *Little Monkey Triesto Eat Fruit* [科学童话·英文]

海豚出版社 1987 年第一版

有平装、精装两种

26.[24]《斜坡文谈》[文学理论]

上海文艺出版社 1987 年 4 月第一版

27.[25]《王府井万花筒》[中篇小说集]

湖南文艺出版社 1987 年 9 月第一版

有平装、精装两种

28.[26]《5·19 长镜头》[小说自选集]

四川文艺出版社 1987 年 11 月第一版

29. げくけきの友たちだ [《我是你的朋友》日译本]

[日本] 福武书店 1987 年 12 月第一版

1989 年 3 月第二版

1991 年 2 月第三版

1988 年

30.[27]《她有一头披肩发》[中短篇小说集]

台湾林白出版社 1988 年 4 月第一版

31.《钟鼓楼》[长篇小说]

香港天地图书有限公司 1988 年第一版

1993 年第二版

32.[28]《私人照相簿》[纪实文学]

香港南粤出版社 1988 年 11 月第一版

33.[29]《刘心武代表作》

黄河文艺出版社 1988 年 12 月第一版

1989 年

34.《小猴吃瓜果》[科学童话]

开明出版社、海豚出版社 1989 年 3 月第一版

35.《钟鼓楼》[长篇小说]

台湾皇冠出版社 1989 年 4 月第一版

36.[30]《一片绿叶对你说》[文艺随笔集]

河北教育出版社 1989 年 12 月第一版

1990 年

37.[31]*BLACK WALLS AND OTHER STORIES* [小说集·英译本]

香港中文大学翻译中心出版社 1990 年第一版

38.[32]《王府井万花镜》[小说集·日译本]

[日本] 德间书店 1990 年 9 月第一版

1991 年

39.《母校留念》[小说]

[日本] 骏河台出版社 1991 年 4 月第一版

40.[33]《一窗灯火》[中短篇小说集]

华艺出版社 1991 年 10 月第一版

1993 年第二次印刷

1992 年

41.[34]《列奥纳多·达·芬奇》[传记]

江苏教育出版社 1992 年 5 月第一版

42.[35]《有家可归》[散文随笔集]

广东旅游出版社 1992 年 5 月第一版

43.[36]《风过耳》[长篇小说]

中国青年出版社 1992 年 6 月第一版

1992 年 12 月第二次印刷

1993 年 3 月第三次印刷

1995 年 8 月第五次印刷

1996 年 3 月第六次印刷

44.《风过耳》[长篇小说]

香港勤＋缘出版社 1992 年 6 月第一版

45.[37]《献给命运的紫罗兰——刘心武谈生存智慧》

上海人民出版社 1992 年 6 月第一版

1992 年 11 月第二次印刷

1995 年第三次印刷

1996 年 12 月第五次印刷

46.《刘心武代表作》

河南人民出版社 1992 年 6 月第二次印刷·精装本

47.[38]《蓝夜叉》[中篇小说集]

香港勤＋缘出版社 1992 年 9 月第一版

1993 年

48.《北京下町物语》[长篇小说·《钟鼓楼》日译本]

[日本] 东京恒文社 1993 年 2 月第一版

1994 年第二版

49.[39]《为你自己高兴》[随笔集]

内蒙古人民出版社 1993 年 3 月第一版

50.[40]《杀星》[小说集]

香港勤＋缘出版社 1993 年 6 月第一版

51.《我是你的朋友》[儿童文学·中篇小说·增订本]

希望出版社 1993 年 6 月第一版

52.[41]《四牌楼》[长篇小说]

上海文艺出版社 1993 年 6 月第一版

1994 年 4 月第二次印刷

1996 年 11 月第三次印刷

53.[42]《我是怎样的一个瓶子》[随笔集]

成都出版社 1993 年 9 月第一版

54.[43]《沉默交流》[随笔集]

中国华侨出版社 1993 年 11 月第一版

55.[44]《富心有术》[随笔集]

群众出版社 1993 年 12 月第一版

1995 年第二次印刷

56.[45]《中国当代名人随笔·刘心武卷》

陕西人民出版社 1993 年 12 月第一版

☆《刘心武文集》[1—8 卷]

华艺出版社 1993 年 12 月第一版

☆《刘心武文集·〈钟鼓楼〉〈风过耳〉》（简装本 ）

☆《刘心武文集·〈四牌楼〉〈无尽的长廊〉》（简装本 ）

华艺出版社 1997 年 5 月第一版

1994 年

57.[46]《仰望苍天》[随笔集]

知识出版社 1994 年 1 月第一版

1995 年第二次印刷

东方出版中心 1996 年 7 月第三次印刷

58.[47]《男扮女妆与女扮男妆》[随笔集]

中原农民出版社 1994 年 2 月第一版

59.[48]《相对一笑》[小小说集]

中共中央党校出版社 1994 年 2 月第一版

60.[49]《秦可卿之死》[专著]

华艺出版社 1994 年 5 月第一版

61.《四牌楼》[长篇小说]

台湾幼狮文化事业公司 1994 年 8 月第一版

62.[50]《为他人默默许愿》[散文集]

台湾幼狮文化事业公司 1994 年 10 月第一版

63.[51]《中国小说名家新作丛书·刘心武卷》

海峡文艺出版社 1994 年 11 月第一版

64.[52]《红楼梦（缩写本）》

> 接力出版社 1994 年 12 月第一版
>
> 1995 年第二次印刷
>
> 1997 年 9 月第三次印刷

1995 年

65.[53]《人生非梦总难醒》[名人日记·随笔集]

> 上海人民出版社 1995 年 1 月第一版
>
> 1995 年 3 月第二次印刷

66.[54]《仙人承露盘》[中短篇小说集]

> 华艺出版社 1995 年 3 月第一版

67.[55]《女性与城市》[杂文集]

> 中国城市出版社 1995 年 6 月第一版

68.《我是你的朋友》[增订版·"小学生成才书架"系列之一]

> 希望出版社 1995 年 10 月第一版

69.《在胡同里转悠》[随笔集]

> 陕西人民出版社 1995 年 11 月第二次印刷

70.[56]《刘心武海外游记》

> 华文出版社 1995 年 12 月第一版

1996 年

71.[57]《刘心武小说精选》

> 太白文艺出版社 1996 年 2 月第一版

72.[58]《开发心大陆》[随笔集]

> 吉林人民出版社 1996 年 3 月第一版
>
> 1997 年 3 月第二次印刷

73.[59]《你哼的什么歌》[散文集]

湖南文艺出版社 1996 年 6 月第一版

74.[60]《刘心武张颐武对话录——"后世纪"的文化了望》

漓江出版社 1996 年 7 月第一版

75.[61]《边缘有光》[随笔集]

汉语大辞典出版社 1996 年 8 月第一版

76.[62]《刘心武怪诞小说自选集》

漓江出版社 1996 年 8 月第一版

有平装、精装两种

77.[63]《我是刘心武》

团结出版社 1996 年 9 月第一版

78.[64]《刘心武》[中国当代作家选集丛书]

人民文学出版社 1996 年 10 月第一版

79.[65]《刘心武杂文自选集》

百花文艺出版社 1996 年 11 月第一版

80.《秦可卿之死》[修订本]

华艺出版社 1996 年 11 月第二版

81.[66]《栖凤楼》[长篇小说]

人民文学出版社 1996 年 12 月第一版

1998 年 3 月第二次印刷

1997 年

82.[67]《封神演义（缩写本）》

接力出版社 1997 年 1 月第一版

1997 年 9 月第二次印刷

83.[68]《胡同串子》[中短篇小说集]

北京燕山出版社 1997 年 8 月第一版

84.《私人照相簿》

上海远东出版社 1997 年 9 月第一版

1998 年 2 月第二次印刷

2000 年换封面版权页称 2000 年 6 月第二次印刷

85.[69]《中国儿童文学名家作品精选丛书·刘心武作品精选》

河北少年儿童出版社 1997 年 8 月第一版

86.[70]《把嘴张圆》[随笔集]

上海远东出版社 1997 年 12 月第一版

1998 年

87.[71]《我眼中的建筑与环境》[建筑评论随笔集]

中国建筑工业出版 1998 年 5 月第一版

1999 年 5 月第二次印刷

2000 年 6 月第三次印刷

2001 年 6 月第四次印刷

88.《钟鼓楼》[茅盾文学奖获奖书系]

人民文学出版社 1998 年 3 月第一次印刷

1998 年 7 月第二次印刷

1998 年 8 月第三次印刷

1999 年 3 月第四次印刷

2000 年 1 月第五次印刷

2001 年 1 月第六次印刷

2001 年 8 月第七次印刷

2002 年 8 月第八次印刷

2003 年 1 月第九次印刷

1999 年

89.[72]《树与林同在》[非虚构长篇小说]

山东画报出版社 1999 年 3 月第一版

2006 年 7 月第二次印刷

90.[73]《八十六颗星星》(*The Eighty-Six Stars*) [儿童文学小说·汉英对照]

希望出版社 1999 年 6 月第一版

91.[74]《红楼三钗之谜》[刘心武红学探佚精品]

华艺出版社 1999 年 9 月第一版

92.[75]《蓝玫瑰》[中短篇小说集]

中国华侨出版社 1999 年 10 月第一版

93.[76]《过隧道的心情》[随笔集]

华东师范大学出版社 1999 年 12 月第一版

2000 年

94.[77]《一切都还来得及》[随笔集]

中国青年出版社 2000 年 1 月第一版

95.[78]《善的教育》[儿童文学]

辽宁少年儿童出版社 2000 年 2 月第一版

96.[79] Le Talisman (version bilingue)[《如意》中、法文对照版]

Librarie You Feng 2000 年 4 月第一版

97.[80]《作家刘心武〈班主任〉手迹》

线装书局 2000 年 5 月第一版

98.[81]《楼前白玉兰》[小小说集]

中国广播电视出版社 2000 年 7 月第一版

99.[82]《刘心武侃北京》

上海文艺出版社 2000 年 10 月第一版

100.[83]《我爱吃苦瓜》[茅盾文学奖获奖作家散文精品]

广州出版社 2000 年 10 月第一版

2002 年 10 月第二次印刷

101.[84]《了解高行健》

香港开益出版社 2000 年 12 月第一版

2001 年

102.[85]《亲近苍莽》

中国旅游出版社 2001 年 1 月第一版

103.[86]《在忧郁中升华》

文汇出版社 2001 年 2 月第一版

《刘心武谈建筑——在忧郁中升华》2007 年 8 月第二次印刷

104.[87]《人在风中》

作家出版社 2001 年 8 月第一版

105.《风过耳》

时代文艺出版社 2001 年 10 月第一版

有平装、精装两种

2002 年

106.[88]《京漂女》(自绘插图)

中国文联出版社 2002 年 1 月第一版

107.[89]《深夜月当花》

中国工人出版社 2002 年 1 月第一版

108.[90]《春梦随云散》

人民文学出版社 2002 年 4 月第一版

109.[91]《藤萝花饼》

台湾二鱼文化事业有限公司 2002 年 4 月第一版

110.[92]《刘心武自述》

大象出版社 2002 年 10 月第一版

2003 年

111.[93] L'arbre et la forêt [《树与林同在》法译本]

Bleu de Chine 2003 年 1 月第一版

112.[94]《人面鱼》

台湾联经出版事业股份有限公司 2003 年 2 月初版

113.[94] La Cendrillon Du Canal [《护城河边的灰姑娘》法译本]

Bleu de Chine 2003 年 4 月第一版

114.[95]《画梁春尽落香尘》["红学" 专著]

中国广播电视出版社 2003 年 6 月第一版

2003 年 9 月第二次印刷

2004 年 1 月第三次印刷

2005 年 6 月第四次印刷

115.[96]《眼角眉梢》

新华出版社 2003 年 8 月第一版

116.[97]《钟鼓楼》[初中生语文新课标必读]

人民日报出版社 2003 年 9 月第一版

117.[98]《天梯之声》

中国青年出版社 2003 年 10 月第一版

2004 年

118.[99] Poussiêre et sueur [《尘与汗》法译本]

Bleu de Chine 2004 年 1 月第一版

119.[100] La mort de Lao SHe [《老舍之死》歌剧剧本法译本]

Bleu de Chine 2004 年 3 月第一版

120.[101] Poisson à face humaine [《人面鱼》法译本]

Bleu de Chine 2004 年 3 月第一版

121.《如意》[电影伴读中国文学文库·附电影光盘]

中国青年出版社 2004 年 1 月第一版

122.[102]《泼妇鸡丁》

台湾二鱼文化事业有限公司 2004 年 4 月第一版

123.[103]《在柳树臂弯里——刘心武随笔》

光明日报出版社 2004 年 5 月第一版

124.[104]《材质之美——刘心武城市文化酷评》

中国建材工业出版社 2004 年 5 月第一版

125.[105]《站冰——刘心武小说新作集》(自绘插图)

人民文学出版社 2004 年 6 月第一版

126.《四牌楼》

上海文艺出版社 2004 年 8 月第二版

127.[106]《大家文丛：刘心武》

古吴轩出版社 2004 年 8 月第一版

2005 年

128.《钟鼓楼》(中国文库·文学类)

人民文学出版社 2005 年 1 月第一版第一次印刷（平装）

2005 年 1 月第一版第一次印刷（精装）

129.《钟鼓楼》(茅盾文学奖获奖作品全集之一)

人民文学出版社 1985 年 11 月第一版、2005 年 1 月第一次印刷

2005 年 5 月第二次印刷

2005 年 7 月第三次印刷

2006 年 3 月第四次印刷

2008 年 4 月第七次印刷

2009 年 8 月第八次印刷

2010 年 1 月第九次印刷

2011 年 7 月第 15 次印刷

2011 年 9 月第 16 次印刷

2011 年 11 月第 17 次印刷

130.[107]《心灵体操》

时代文艺出版社 2005 年 1 月第一版

131.[108]《刘心武作文示范》

少年儿童出版社 2005 年 1 月第一版

132.[109] La Démone bleue (《蓝夜叉》法译本)

Bleu de Chine 2005 年第一版

133.[110]《红楼望月》

书海出版社 2005 年 4 月第一版

2005 年 6 月第二次印刷

2005 年 7 月第三次印刷

2005 年 8 月第四次印刷

2005 年 9 月第五次印刷

2005 年 9 月第六次印刷

134.[111]《刘心武揭秘〈红楼梦〉》

东方出版社 2005 年 8 月第一版

至 2005 年 19 月共十三次印刷

2005 年 11 月第二版

至 2005 年 12 月已第十八次印刷

至 2007 年 7 月已第二十八次印刷

2007 年 12 月第三十次印刷

2008 年 4 月第三十二次印刷

135.《红楼解梦——画梁春尽落香尘》

中国广播电视出版社 2005 年 9 月第二版第五次印刷

136.《楼前白玉兰——刘心武最新小小说集》

中国广播电视出版社 2005 年 9 月第二版第二次印刷

137.[112]《刘心武揭秘〈红楼梦〉》[第二部]

东方出版社 2005 年 12 月第一版

至 2007 年 7 月已第十五次印刷

2007 年 12 月第十七次印刷

2008 年 4 月第十九次印刷

138.[113]《刘心武解读人世情》

时代文艺出版社 2005 年 12 月第一版

139.[114]《刘心武感悟平常心》

时代文艺出版社 2005 年 12 月第一版

2006 年

140.[115]《刘心武自选集》

云南人民出版社 2006 年 1 月第一版

141.[116]《刘心武点评〈红楼梦〉》

团结出版社 2006 年 1 月第一版

142,《刘心武精品集·第一卷·钟鼓楼》

东方出版社 2006 年 1 月第一版

143.《刘心武精品集·第二卷·四牌楼》

东方出版社 2006 年 1 月第一版

144.《刘心武精品集·第三卷·栖凤楼》

东方出版社 2006 年 1 月第一版

145.《刘心武精品集·第四卷·献给命运的紫罗兰》

东方出版社 2006 年 1 月第一版

146.[117]《戴敦邦绘刘心武评〈金瓶梅〉人物谱》

作家出版社 2006 年 4 月第一版

147.[118]《红楼拾珠》

云南人民出版社 2006 年 5 月第一版

148.[119]《藤萝花饼》

云南人民出版社 2006 年 5 月第一版

149.《刘心武揭秘〈红楼梦〉》[第一部]

台湾好读出版有限公司 2006 年 6 月初版

150.《刘心武揭秘〈红楼梦〉》[第二部]

台湾好读出版有限公司 2006 年 6 月初版

151.《我是刘心武》

天津人民出版社 2006 年 8 月第一版

152.[120]《刘心武揭秘古本〈红楼梦〉》

人民出版社 2006 年 12 月第一版

同月第二次印刷

2007 年

153.[121]《四棵树》

二十一世纪出版社 2007 年第一版

154.[122]《用心去游》

上海三联书店 2006 年 12 月第一版

2007 年 1 月第一次印刷

155.[123] Dés de poulet façon mégère [《泼妇鸡丁》法译本]

Bleu de Chine 2007 年 4 月第一版

156.《一切都还来得及》

中国青年出版社 2005 年 5 月第一版

157.[124]《刘心武揭秘〈红楼梦〉》[第三部・黛玉之谜及古本之秘]

东方出版社 2007 年 7 月第一版

至 2007 年 8 月巳第四次印刷

2007 年 12 月第六次印刷

2008 年 3 月第七次印刷

158.[125]《刘心武说世道人心》

中国青年出版社 2007 年 7 月第一版

159.[126]《刘心武说寻美感悟》

中国青年出版社 2007 年 7 月第一版

160.[127]《刘心武说草根情怀》

中国青年出版社 2007 年 7 月第一版

161.[128]《长吻蜂》

上海人民出版社 2007 年 8 月第一版

162.《私人照相簿》

华龄出版社 2007 年 10 月第一版

163.《善的教育》

华龄出版社 2007 年 10 月第一版

164.[129]《刘心武揭秘〈红楼梦〉》[第四部·宝钗湘云之谜暨红楼心语]

东方出版社 2007 年 11 月第一版

2008 年 3 月第三次印刷

2008 年

165.[130]《健康携梦人》

中国海关出版社 2008 年 4 月第一版

166.[131]《刘心武小说》

吉林文史出版社 2008 年 5 月第一版

167.[132]《刘心武散文》

吉林文史出版社 2008 年 5 月第一版

2009 年

168.《钟鼓楼》(共和国作家文库)

作家出版社 2009 年 4 月第一版

169.《四牌楼》(共和国作家文库)

作家出版社 2009 年 4 月第一版

170.[133]《人在胡同第几槐》

中国文联出版社 2009 年 6 月第一版

171.《钟鼓楼》(新中国 60 年长篇小说典藏)

> 人民文学出版社 2009 年 7 月第一版

172.[134]《刘心武短篇小说》

> 现代教育出版社 2009 年 8 月第一版

173.[135]《刘心武中篇小说》

> 现代教育出版社 2009 年 8 月第一版

174.[136]《刘心武散文随笔》

> 现代教育出版社 2009 年 8 月第一版

175.《刘心武揭秘〈红楼梦〉》上卷 (共和国作家文库)

> 作家出版社 2009 年 8 月第一版

176.《刘心武揭秘〈红楼梦〉》下卷 (共和国作家文库)

> 作家出版社 2009 年 8 月第一版

2010 年

177.[137]《人情似纸》

> 江苏文艺出版社 2010 年 1 月第一版

178.[138]《红楼梦八十回后真故事》

> 江苏人民出版社 2010 年 3 月第一版

179.[139]《刘心武小说精选集》

> [台湾] 新地文化艺术有限公司 2010 年 4 月第一版

180.《红楼望月》

> 江苏人民出版社 2010 年 6 月第一版
> 2010 年 9 月第二次印刷

181.[140]《命中相遇——刘心武话里有画》

> 上海文艺出版社 2010 年 7 月第一版

182.[141]《红楼眼神》

重庆出版社 2010 年 9 月第一版

2011 年

183.[142]《刘心武续红楼梦》

江苏人民出版社 2011 年 3 月第一版

江苏人民出版社 2011 年 4 月第 4 次印刷

184.[143]《红楼梦》(曹雪芹著刘心武续)

江苏人民出版社 2011 年 3 月第一版

185.《刘心武续红楼梦》[繁体字竖排本]

香港明报出版社有限公司 2011 年 3 月初版

186.《刘心武揭秘〈红楼梦〉》精华本（一）

江苏人民出版社 2011 年 4 月第一版

187.《刘心武揭秘〈红楼梦〉》精华本（二）

江苏人民出版社 2011 年 4 月第一版

188.《刘心武揭秘〈红楼梦〉》精华本（三）

江苏人民出版社 2011 年 4 月第一版

189.《刘心武揭秘〈红楼梦〉》精华本（四）

江苏人民出版社 2011 年 4 月第一版

190.《刘心武续红楼梦》[繁体字竖排本]

台湾城邦文化事业股份有限公司商周出版 2011 年 4 月第一版

191.《〈红楼梦〉的真故事》

台湾人类智库数位科技股份有限公司 2011 年 6 月第一版

192.[144]《听刘心武说房子的事儿》

中国商业出版社 2011 年 8 月第一版

193.[145]《刘心武心灵随感》

时代文艺出版社 2011 年 11 月第一版

2012 年

194.[146]《刘心武种四棵树》

漓江出版社 2012 年 1 月第一版

195.[147]《风雪夜归正逢时——我是刘心武》

漓江出版社 2012 年 1 月第一版

196.《献给命运的紫罗兰》

漓江出版社 2012 年 1 月第一版

197.[148]《人生有信》

江苏人民出版社 2012 年 3 月第一版

198.Poussiêre et sueur [《尘与汗》法译本 folio 袖珍版]

Gallimard 2012 年 8 月出版

199.La Cendrillon du canal[《护城河边的灰姑娘》法译本 folio 袖珍版]

Gallimard 2012 年 8 月出版